# DESARROLLO DE NEGOCIOS

## VENDER SIN PLANEACIÓN
## LIMITA EL PODER DE LA NEGOCIACIÓN

*VENDA SELECTIVAMENTE Y TRIUNFE CONSISTENTEMENTE*

# TESTIMONIO

Las compañías con problemas de planeación se encuentran en desventaja competitiva con respecto a aquellas que han construido una buena estructura de planificación.

Generalmente, las compañías líderes en su ramo, dedican el tiempo necesario preparando una planificación congruente a sus fines:

1) Planes estratégicos
2) Planes de negocios a 5 años
3) Planes de negocios del año en curso
4) Planes para las cuentas o clientes estratégicos
5) Planes analíticos de la competencia basándose en estudios de mercado
6) Planes de captura de negocios
7) Planes de administración de propuestas
8) Planes de administración de programas
9) Planes metodológicos de ventas

Incorporar nuevos negocios es una responsabilidad corporativa, no una actividad para ser delegada sin sugerencias ni supervisión. Para muchas compañías, responder a las licitaciones y escribir propuestas ganadoras sigue siendo la única forma de obtener nuevos negocios. En la mayoría de los casos, los mandos intermedios no saben lo que sucede durante el proceso de captura del negocio o durante las fases de administración de la propuesta.

Sin un proceso comprensible de propuestas o de anexión de negocios, muy probablemente no se pueda obtener el impacto positivo que su compañía merece. Ganar negocios es una actividad intelectual que requiere de procesos.

Sin estos procesos, los nuevos esfuerzos de captura de negocios serán futiles y continuamente se perderán tratando de "reinventar la rueda", de recurrir a una panacea propia de la incompetencia y la derrota. Dichas acciones, incitarán ineficiencias y caos. El pánico fungirá como el común denominador bajo estas instancias y los grupos participantes quedarán irremediablemente supeditados a funcionar dentro de un ambiente condenado a la ausencia de toda armonía empresarial y su respectivo orden formal.

Los estudios indican que las compañías victoriosas normalmente consumen más de la mitad del presupuesto destinado al diseño y carpintería de la propuesta. El objeto radica en la persecución de una oportunidad específica, generalmente inalcanzable o desconocida, antes de que la solicitud de la licitación sea propalada por sus clientes. Si usted sigue este perfil, su dinero estará redituando. Si usted no sigue este perfil, ¿en qué está invirtiendo sus recursos?

El libro del doctor Chamoun aborda con maestría y pleno conocimiento estos temas, entre otros. El libro "Desarrollo de Negocios" es un exponente serio que merece su atención y demanda su escrupulosidad en el seguimiento de sus principios.

*Stephen P. Shipley*
*President and CEO*
*Shipley Associates*

# DESARROLLO DE NEGOCIOS

## VENDER SIN PLANEACIÓN

## LIMITA EL PODER DE LA NEGOCIACIÓN

*por*

# Dr. Habib Chamoun-Nicolás

*Con la colaboración especial de*

José Farah Guerra

José Manuel Aguirre Guillén

**EDITORIAL ÁGATA®**

Primera edición, marzo 2001, Guadalajara, Jalisco, México
Segunda edición, agosto 2001, Guadalajara, Jalisco, México
Primera reimpresión de la segunda edición, Octubre 2001, Guadalajara, Jalisco, México
Segunda reimpresión de la segunda edición, Noviembre 2001, Guadalajara, Jalisco, México
Tercera edición, julio 2002, Guadalajara, Jalisco, México

Diseño de formato de interiores:    Lic. Enriqueta González Rodríguez
                                     Lic. Ana Gabriela García Guerrero

Diseño de portada: Lic. Enriqueta González Rodríguez


Texto:
D.R. © 2001, Dr. Habib Chamoun-Nicolás


Este tiraje:
D.R. © 2001,    Servicios Editoriales de Occidente, S.A. de C.V.
                Pino Suárez 169, C.P. 44100
                Guadalajara, Jalisco, México


ISBN 970-657-101-9

Impreso y hecho en Guadalajara, Jalisco, México.
*Printed and made in Guadalajara, Jalisco, Mexico.*

*"Tú eres más, mucho más de lo que eres ahora,
toma el lugar que te corresponde en la vida"*
Ing. Luis Jorge Martínez
Entrenador Empresarial

# ¿Cómo aprovechar más el contenido de este libro?

Estimado(a) lector(a):

Con la finalidad de que usted obtenga el mayor beneficio de esta lectura, le sugerimos se dirija al final de esta edición y llene el Instrumento de autodiagnóstico reflexivo antes de continuar a la página siguiente.

Una vez leído el libro, le sugerimos vuelva a llenar el Instrumento y usted mismo comprobará sus avances en las áreas de oportunidad detectadas.

Le agradeceremos sus comentarios y vivencias de la experiencia que usted está a punto de realizar, al correo electrónico:

**glazez@intercable.net**

**"El principio de la sabiduría es el temor de Dios..."**
**Rey Salomón**

# ÍNDICE

**"Todo lo que una persona pueda imaginar, otras podrán
hacerlo realidad"
Julio Verne**

# COMENTARIOS A LA PRIMERA EDICIÓN

**Desarrollo de negocios** es una guía práctica acerca de los factores claves en el proceso de negociación y cierre del negocio. No obstante, su enfoque va más allá de acciones aisladas y puntuales, analizando y resolviendo la negociación más bien como un proceso que debe afectar la subsistencia del negocio en un largo plazo, a través de la creación de relaciones rentables de largo plazo.

El libro no es meramente un reciclado de información sobre cómo ser exitoso en los negocios; o bien, de cómo cerrar un trato. Su contenido es el resultado de la experiencia del autor, y de un proceso formal de exploración, investigación y utilización de conceptos y técnicas orientadas a obtener resultados que coadyuven al crecimiento de la empresa en un largo plazo. Las bases académicas con las que cuenta esta obra son la punta de lanza en el campo de la Negociación, así como los conceptos de Estrategia de Negocio y Planeación Estratégica.

Sin embargo, su sencillez, claridad y formato en la explicación de conceptos lo hace adecuado para cualquier lector. El libro ha sido escrito pensando en el pequeño empresario de México y América Latina, que en muchos casos no cuenta con el tiempo ni la preparación para asimilar de un modo práctico la gran cantidad de herramientas y filosofías administrativas necesarias hoy en día para sobrevivir. El libro ha sido escrito pensando en aquel hombre de negocios que requiere una herramienta que le permita entender y actuar ágilmente en el mundo de los negocios modernos; que le permita convertir su pequeño negocio en una empresa sólida y con futuro.

El libro funciona solo o como una excelente mancuerna a un taller sobre el tema, y en cualquier caso, queda claro que vender sin planeación, limita el poder de negociación.

*No importa con que tanta destreza cuenten los negociadores, y no importa de qué cultura provengan. La preparación y la planeación es lo esencial.*

*Como una regla general, por cada minuto que negociamos con la contraparte, debemos de tomar un minuto planeando la negociación.*

DR. WILLIAM L. URY
Director del Proyecto de Prevención de Guerra, Director Asociado del Programa de Negociación de Harvard y del Programa de Negociación de la Escuela de Leyes de la Universidad de Harvard; Co-autor de "Getting to Yes" y autor de "Getting Past No" y "Negotiating with Difficult People".

## COMENTARIOS DE LA SEGUNDA EDICIÓN

Esta nueva edición se produjo gracias al éxito de la primera y agradecemos a todos los lectores por continuar buscando el éxito en el desarrollo de negocios.

Para ofrecer a los lectores mayor valor, esta segunda edición está mejorada y aumentada. Contiene además de un diseño interior; las reflexiones del autor sobre los conceptos de negociaciones robustas y maratónicas sin fin.

Así también, en el apéndice pueden encontrar una descripción de por qué las pequeñas empresas no planean sus estrategias y el Instrumento de Autodiagnóstico reflexivo para brindar la oportunidad al lector de aprovechar más la lectura.

A lo largo del libro les mencionamos frases célebres con el objetivo de invitarlos a practicarlas y, sobre todo, vivirlas.

## COMENTARIOS DE LA TERCERA EDICIÓN

Para esta tercera edición, el autor ha realizado una revisión cuidadosa de los conceptos y modelos de negociación. Se ha agregado el concepto y modelo del "Índice de Éxito de la Oportunidad", y un análisis del efecto de las diferentes culturas en los procesos de negociación en el ápendice de esta obra.

Una de las adiciones más importantes y novedosas, es el disco compacto interactivo con audio y video, para llevar a cabo ejercicios prácticos del modelo de "Tipo de Vendedores Chamoun®" y así materializar rápidamente los conocimientos adquiridos en este libro.

*La diferencia entre una negociación llena de éxito y una no exitosa, a menudo depende de la calidad de la preparación de las partes.*

*Frecuentemente, los ejecutivos de los negocios fallan al obtener un "buen trato" o en conseguir los máximos beneficios de una negociación, debido a que una o ambas partes no iban preparadas como debían.*

*Probablemente, el peor acercamiento a una negociación es "la actitud", "escuchemos qué tiene que decir la otra parte y luego decidiremos cómo lidiar con ésta".*

*Mientras que la flexibilidad y la apertura son ciertamente útiles en la negociación, es importante de todas formas prepararse para cualquier sesión de negociación, de manera sistemática y estructurada.*

DR. JESWALD W. SALACUSE,

Profesor de la Escuela Fletcher de Leyes y Diplomacia en la Universidad de Tufts y del Programa de Negociación de la Escuela de Leyes de Harvard
Autor del libro "The Global Negotiator: Making, Managing, and Mending Deals Around the World in the 21st Century"

# DEDICATORIA

En memoria de mi madre "La Nena Nicolás" y por un México mejor.

Dr. Habib Chamoun-Nicolás

Extracto del artículo del periódico "Zócalo" de Nueva Rosita, Coahuila, con fecha 20 de Julio de 1988, acerca de la Nena, ¡mi madre!

*"Decir Nena Nicolás, es decir, amor, cariño, atención, amabilidad, mujer de la cabeza a los pies, hecha de una sola pieza, devota católica, agradecida con Dios, desprovista de egoísmos, el sol sale para todos, le gusta que haya competencia, nos ayuda a superarnos, agrega y subraya, aquí entre telas, cinta métrica y tijeras, han surgido más de una veintena de cortadores que ahora tienen su propio taller."*

# AGRADECIMIENTOS

A Dios, por haberme dado la oportunidad de dispensar mi vocación y la aquiescencia del intelecto.

A mi esposa Marcela, por ser mi inspiración y por su gran comprensión.

A mis padres y a mis hijos Habib, Emile, Antoine y Marcelle.

A mi hermana Soraya Chamoun, por su espíritu emprendedor.

A mi hermano Yamal Chamoun por su extraordinaria visión, liderazgo y apoyo.

A mis mentores académicos, entre otros mencionaré al Ing. Ramón de la Peña, al Dr. Carlos Mijares, al Dr. Carlos Narváez. A los catedráticos que impartieron mi Doctorado y Maestría en la Universidad de Texas en Austin, el Dr. Robert Schechter y el Dr. Mukul Sharma. A mis profesores del Programa de Negociación de Harvard, Dr. Michael Watkins, Dr. Lawrence Susskind, Dra. Sara Cobb, Dr. William Ury, Dr. Jeswald Salacuse y Dr. Michael Wheeler. A mis profesores de la Universidad Internacional de Carolina del Sur.

Al Dr. Jaime Alonso Gómez Aguirre, Director de la EGADE del Tec de Monterrey por ser un impulsor y campeón de la educación gerencial en América Latina.

Al Dr. Antonio Dieck Assad, Director de Comercialización de la Universidad Virtual del Tec de Monterrey por su espíritu empresarial y visionario.

A todos en la Universidad Virtual del Tec de Monterrey por su constante apoyo y excelente calidad en el trabajo.

A mis mentores profesionales como: Jean Pierre Zundel de Elf Aquitaine en Pau, Francia; Harold Hilderbrand, James Johnson de Brown and Root en Houston, Texas; Andy Beran, Jorge Borja, Gala Roque, Tom Shary, Mark Stevens, Chick Kratzer, Phil Prodoehl y Jeff Zakaryan, de ICA, Fluor Daniel y Fluor Daniel en México, D.F., Sugarland, TX, Irvine, CA, Greenville, S.C. respectivamente; Arturo Sánchez de CB Richard Ellis en México, D.F.; a Steve Shipley, Larry Newman, Ed Alexander y a todos en Shipley Associates en Salt Lake, Utah.

A José Farah Guerra, por sus aportaciones a la primera edición de este libro.

A José Manuel Aguirre Guillén, por su valiosa participación en el Capitulo 2 del libro, y su contribución en los aspectos relacionados a los temas de planeación y estrategias.

A Gaby Vargas, por permitirme utilizar un extracto de sus artículos sobre la gente tóxica.

A Ana Gaby García, Lupita López y José Rodríguez por su valioso esfuerzo, dedicación y tiempo para asegurar la calidad y consistencia del material de la segunda edición.

A Luis Jorge Martínez, por sus intercambios intelectuales acerca de la excelencia.

A la Arq. Laura del Campo, la Dra. Olivia Carrillo, el Ing. Hector Velasco, al Lic. Benjamín Díaz Name y Marisela Villarreal, por sus valiosas sugerencias para ésta tercera edición.

A Enriqueta González, por el diseño y armado de ésta tercera edición.

A todos y cada uno de los que han contribuido con ideas, pensamientos y retos intelectuales para entender mejor la dinámica de las ventas en el mundo global y a través de mi vida profesional.

A los clientes y participantes de mis cursos, que por ellos y para ellos me he inspirado a publicar este libro. Mencionaré entre otras a las empresas e instituciones siguientes:

Universidad Virtual Empresarial del Tec de Monterrey, Universidad de Texas PANAM, AMECO, AXTEL, FEMSA, GOIMSA, GE, TECOWESTINHOUSE, HENKEL, VITRO, NEMAK, GEDAS, BOMBARDIER, IMSA, LAMOSA, COMIMSA, ADIAT, Tecnológico de Monterrey, UDEM, UNAM, COPARMEX, AMCHAM, TELMEX, ESCALA, BAXTER, PANATRONIC, CIBNOR, ANSPAC, UABC, OXXO, Servicio Libre a Bordo, CANACO Monterrey, Grupo Termo Control del Norte, PMI.

A todos ustedes que están a punto de leer este libro o de participar en mis seminarios, conferencias, talleres o diplomados.

Gracias

# PRÓLOGO

Son tan importantes los cambios que caracterizan nuestra época, que se habla ya no de grandes transformaciones sino de un cambio de época.

Las nuevas circunstancias, en especial el tener que enfrentarse a una competencia que es producto de una economía globalizada, han obligado a los directores de negocios a trabajar con un empeño especial por su superación personal y a preocuparse por un aprendizaje continuo, a fin de mantener competitivas sus empresas.

La necesidad de una continua formación y capacitación explica la abundancia, cada vez mayor, de publicaciones relacionadas con la administración; obras que señalan nuevas rutas y estrategias más acordes con la época, para tener éxito en el mundo de los negocios.

La presente obra del Dr. Habib Chamoun-Nicolás tiene, a mi modo de ver, un mérito muy especial: quien sigue paso a paso la metodología que el autor propone para planear y decidir, adquiere el hábito de identificar todos los aspectos a ser tenidos en cuenta en cualquier situación, con lo cual forma su mente y desarrolla el pensamiento de una manera muy importante. De esta manera, el hombre de negocios no sólo garantiza el éxito de su empresa, sino además alcanza un mayor desarrollo humano, que va a fortalecer su autoestima y su capacidad innovadora.

Esto es algo muy valioso, pues estoy convencido de que en la actualidad el recurso más apreciable no proviene del suelo sino del hombre.

*Ing. Ramón de la Peña Manrique*
*Rector Honorario Vitalicio del Campus*
*Monterrey del Sistema Tecnológico de*
*Monterrey*

# PREFACIO

## Desarrollo de Negocios

¡Planear para Ganar! ¡Desarrollar para Triunfar! ¡Conviértase en Desarrollador de Negocios! ¡No sea un simple Despacha Pedidos!

La planeación crea diferentes y posibles escenarios desde la prospección del cliente hasta el cierre efectivo, con el fin de obtener mejores resultados con menores esfuerzos.

La planeación depende de qué tan importante sea el evento. Se planea desde el inicio, en la búsqueda de prospectos, las estrategias de venta así como el proceso de negociación.

¿Planear cómo voy a ceder y hasta dónde? Planear cuál es la mejor opción para las partes es tener en mente que el enfoque radica en buscar la necesidad del cliente y no la venta en función de nuestros servicios o productos.

La planeación es tan esencial que significa necesariamente la razón del éxito en países como los Estados Unidos.

Este libro está basado en los conceptos:

1) Planeación para obtener una venta: Metodología de Ventas CHAMOUN®"
2) Planeación Estratégica para obtener la dirección de una empresa
3) Planeación del Negocio para obtener los resultados esperados
4) Planeación de la propuesta para obtener el negocio exitoso
5) Planeación de la negociación para cerrar eficientemente

Si usted planea para ganar lo que sucederá es que ¡VA A GANAR!

Para que un negocio sea exitoso varias condiciones deben darse:

1) Debe existir una necesidad o ser creada para la venta de nuestros servicios y productos
2) Los clientes deben estar satisfechos con nuestros productos o servicios
3) Los clientes deben pagar el valor agregado de nuestros servicios o productos
4) Los objetivos de negocio de ambas partes deben estar bien cubiertos
5) Los intereses de las partes deben estar satisfechos

En otras palabras, un vendedor como lo plantea Og Mandino en «El vendedor más grande del mundo», puede vender lo que sea, un mercado basto con necesidades de compra puede comprar lo que sea, un producto o servicio excelente se vende sólo. Si alguna de éstas tres condiciones se dieran, en nuestro caso específico no necesitaríamos metodología de ventas (ver Figura 1). Sin embargo, la complejidad de las ventas de hoy, la competencia tan feroz y los clientes tan informados hacen que necesitemos de otros medios como una metodología de ventas, que trataría de incorporar los conceptos claves de cada una de estas situaciones y asegurar la consistencia.

Entonces, ¿Qué hacer para que seamos consistentemente exitosos? **Planear durante todo el ciclo de vida de un negocio, desde que se detecta una oportunidad hasta el cierre.** Los negocios exitosos entonces tienen condiciones / características en común que las podemos repetir en diferentes circunstancias y adaptar para poder incrementar nuestras ganancias.

La intención de este libro es proveer las herramientas básicas al lector para ayudarle a planear desde que detecta una oportunidad, llevándolo de la mano hasta el cierre. Sin embargo, ni la metodología de ventas, ni la planeación estratégica, ni el plan de negocios, ni la propuesta, ni la presentación, ni la negociación se dan solas; se requiere de vendedores que tengan la suficiente autoestima para hacer que todo esto funcione.

Figura 1 Propuesta de Chamoun para el éxito de los negocios

Para que sean vendedores exitosos se requiere que estén motivados y crean en sus servicios y productos, y que además prosigan de una manera metodológica el proceso de desarrollo de negocios.

En la primera parte del presente libro, descubrirá la Metodología de Ventas CHAMOUN®, seguido de la Planeación Estratégica, las Etapas del Desarrollo de Negocios, la Propuesta Eficiente, las Presentaciones y Estilos de Comunicación y la Negociación Efectiva.

El vendedor que se considera desarrollador de negocios, es aquél que no sólo vende por vender, sino que vende por satisfacer a su cliente y siempre se pregunta si puede mejorar, o por qué no cerró la venta y qué debe hacer para conseguirlo. El vendedor desarrollador es aquél que tiene estrategias y planes de acción para cada cliente.

Hacer una venta exitosa es algo que un desarrollador de negocios con metodología puede pronosticar con exactitud.

Las lecciones aprendidas en los pasados 15 años nos dicen que aquel negocio al que le dedicamos tiempo, dinero, esfuerzos y buscamos hasta el último detalle de la creatividad para que sea exitoso, lo será. Los vendedores desarrolladores de negocios saben distinguir las características que forman un negocio exitoso y saben transmitírselo a sus clientes aportando el Valor Agregado.

La Metodología de Ventas CHAMOUN®, ayuda a identificar a los tipos de vendedores, a los tomadores de decisiones, sus características, roles de compra y estilos de comunicación para saber si se está perdiendo o ganando el negocio.

Las características que hacen única a la metodología CHAMOUN® radican en que no sólo se enfocan en la manera sistemática de las ventas sino también en los tipos de vendedores. De nada sirve tener todo un sistema de ventas, si no tenemos bien identificadas las áreas de oportunidad de nuestros vendedores, en qué tipo se ubican y cómo cambiar de un tipo a otro dependiendo de la relación cliente proveedor.

La Metodología CHAMOUN® nos ayuda a analizar a nuestra competencia y así poder determinar qué estrategia competitiva utilizar en contra de ésta.

En pocas palabras, con la metodología podemos seleccionar aquellos negocios en donde realmente exista oportunidad y desechar a los que menos convengan, haciendo nuestras ventas más efectivas.

La historia de un negocio empieza con la Planeación Estratégica, ¿Hacia dónde queremos ir? ¿Qué necesidad queremos satisfacer? ¿Cómo nos vemos en un futuro? ¿Cuáles son los objetivos generales? ¿Y los específicos?

De ahí nuestro plan de negocios en detalle ¿dónde estaremos año tras año, cuáles son los objetivos específicos a cumplir y con qué recursos los vamos a llevar a cabo, qué estrategias seguiremos para llevar el plan a feliz fin?

No sólo basta tener la metodología sin tener la habilidad y los conocimientos del proceso de negociación. Vender es muy fácil, negociar para ganar ambos y obtener los mejores resultados para ambos es más difícil ¿cuántas ventas se han caído en el proceso de negociación?

Por esto, al final del libro hablamos de tácticas de negociación, del proceso y la nueva tendencia de la negociación de los principios del programa de negociación de Harvard.

El fin del desarrollo de negocios es el comienzo de un nuevo negocio, la negociación es un proceso continuo y sin fin.

El único responsable del seguimiento de las cuentas dentro de este proceso continuo y sin fin es el Desarrollador de Negocios.

Para poder ubicar a nuestros vendedores entre los Desarrolladores de Negocio debemos analizar si tienen las características esenciales de éste, las cuales son entre otras las siguientes:

1. Tener capacidad de dar servicio al cliente
2. Tener capacidad de poner atención a las necesidades del cliente
3. Obtener conocimiento de sus servicios y productos
4. Tener pasión para vender
5. Estar preparado ante cualquier circunstancia
6. Tener control del cliente
7. Ser negociador eficaz
8. Realizar visitas productivas a los clientes
9. Hacer preguntas de proceso para entender las necesidades del cliente
10. Dejar hablar al cliente (no interrumpir)
11. No ceder o hacer concesiones rápidamente
12. No ceder o hacer concesiones grandes
13. Ser estratega, tener un plan de acción para cada etapa del desarrollo de negocio

El cambio radical de nuestra cultura empresarial se centra en estos principios primordiales.

Todo esto nos dará mayor oportunidad de responder rápidamente a los cambios de alcance de los clientes, a satisfacer sus nuevas necesidades instantáneamente. Este concepto de entrega inmediata en los servicios, prácticamente instantánea, se puede dar teniendo conocimiento profundo de nuestros clientes, sus necesidades, nuestra competencia, el mercado etc. No debe de existir una diferencia de tiempo entre lo que el cliente pide y cuando lo recibe, ese es el concepto que presenta en detalle Yeh, Pearlson y Kozmetsky en su libro "Zero Time."

Este libro es el primero de una serie y sólo tiene la intención de motivar el interés de los vendedores en conocer maneras alternativas de apoyo para incrementar ventas, márgenes y seleccionar clientes estratégicos.

**"La ciencia del prudente está en entender su camino..."
Rey Salomón**

# INTRODUCCIÓN
## Todos Somos Vendedores: Decídete a Venderte Bien
## Desarrollo de Negocios

¡Aprenda a vender selectivamente y a ser exitoso consistentemente!

¡Aprenda cómo negociar y obtener lo que se merece utilizando herramientas más allá de las habilidades de negociación!

Aprenda a conseguir *Negociaciones Robustas* y evitar las *Negociaciones Maratónicas sin fin.*

La negociación es un proceso de estira y afloje con múltiples tomadores de decisiones, múltiples puntos a negociar, con altas y bajas en las emociones de las partes y la clave es nunca perderle la vista al objetivo sin distraerse por lo emotivo.

Dos negociaciones extremas las definimos aquí como *Negociaciones Robustas y Maratónicas sin fin.* (ver figura 2)

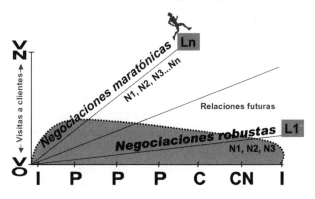

Figura 2. Esta figura representa el ciclo de vida de un negocio en función de las visitas a clientes. Eje de las X's: Inicio (I), Prospección (P), Presentación (P), Propuestas (P), Contrato (C), Cierre del negocio (CN), Implementación (I). Eje de las Y's: Visitas a clientes (Vo a Vn).

*Negociaciones Robustas* se caracterizan por visitas efectivas a clientes, pasos firmes y concretos apuntando al cierre, objetivos claros, visión transparente y cristalina. Esta negociación consiste en una serie de negociaciones cortas ligadas unas con otras $(N_1, N_2, ... N_N)$ que pueden o no ser secuenciales y por lo general agregan valor unas a otras.

*Negociaciones Maratónicas,* contrariamente, consisten en muchas negociaciones, cortas o largas $(N_1, N_2 ... N_N)$, que no agregan valor unas a otras. Por lo general, se ligan a través de ligas antagónicas de negociación. Apenas estamos viendo algo de avance en la negociación cuando una parte del estire y afloje nos regresa al principio del proceso. De hecho, puede también una negociación antagónica entre un esposo y su esposa destruir la negociación con un tercero (el vendedor), como sería el caso de la compra-venta de un automóvil donde frecuentemente el tercero debe de empezar todo de nuevo. O en cuantas negociaciones con diferentes culturas por no conocer las diferencias culturales se le ofende a la otra cultura y esto destruye la liga y por consiguiente lo construido en el proceso de negociación.

Cuando el proceso de la negociación es maratónico, las partes terminan como en un torneo, exhaustos y desgastados por el proceso. El peligro es que, a pesar de todo, no se llegue a un fin y por esto las llamamos *Negociaciones Maratónicas sin fin.*

La clave en nuestros negocios, como en nuestras vidas, es que busquemos continuamente obtener *Negociaciones Robustas.*

No perdamos el tiempo, fijemos la mente en el objetivo y ambos llegaremos más rápido a la meta. La pregunta es entonces como poder obtener o aumentar *las Negociaciones Robustas* en nuestras vidas y como evitar *las Maratónicas sin fin.*

La respuesta es la planeación, preparación y reflexión. Sin planeación se limita el poder de la negociación y el resultado será una *Negociación Maratónica sin fin* o una negociación sanguinaria. La intención es de minimizar el número de visitas a clientes $(V_o$ a $V_n)$ y llegar al cierre del negocio CN (ver Figura 2). Las líneas que distinguen a una *Negociación Robusta* de una *Maratónica* son líneas de objetivos $(L_1, L_2, .. L_n)$. Las líneas de objetivos de las *negociaciones robustas* tienen una menor pendiente indicando que en un número menor de visitas a clientes

(V$_0$...V$_n$) se llega del inicio I, al cierre e implementación de negocio (CN,I) Ver figura 2.

Las negociaciones N$_1$ a N$_N$ dependen de muchos factores, que se pueden observar de manera independiente al proceso de negociación. Por ejemplo, si tenemos bien definido el objetivo antes de entrar a la visita del cliente y el objetivo de salida, muy probablemente nos acerquemos al siguiente paso antes del cierre; de no ser así, o nos alejamos o nos salimos de esta negociación en particular.

Estas negociaciones N$_1$ a N$_N$ dependen del número de participantes, de la liga entre éstos, de las alianzas, de los estilos de comunicación, de la cultura, del género, etc.

Antes de empezar, es recomendable en toda negociación tener en mente el alcance, costo y tiempo en el que queremos hacer los trabajos o los proyectos de vida. Si ésto lo podemos mostrar en una gráfica se vería como el triángulo de la figura 3.

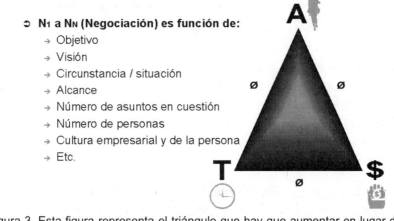

⊃ **N1 a NN (Negociación) es función de:**
- → Objetivo
- → Visión
- → Circunstancia / situación
- → Alcance
- → Número de asuntos en cuestión
- → Número de personas
- → Cultura empresarial y de la persona
- → Etc.

Figura 3. Esta figura representa el triángulo que hay que aumentar en lugar de dividir entre las partes. Los vértices del triángulo representan posiciones A: Alcance, T: Tiempo y $ de presupuesto con la calidad Ø

Esta figura nos muestra en cada vértice del triángulo el costo, tiempo y alcance de nuestros trabajos en cuestión con una calidad Ø específica.

En toda negociación, las partes tratan de obtener un poco más de cada una de estas tres posiciones (tiempo, costo y alcance). Pero si trabajamos cooperativamente y no competitivamente, en lugar de dividir el triángulo entre las partes, lo podremos aumentar como se ve en la figura 4 y ambas partes ganan (ver capítulo V).

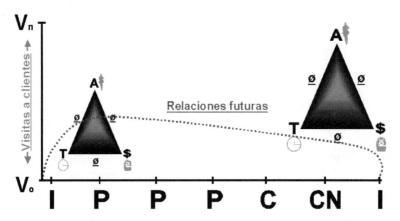

Figura 4. Esta figura representa el ciclo de vida de un negocio en función de las visitas a clientes. Eje de las X's: Inicio (I), Prospección (P), Presentación (P), Propuestas (P), Contrato (C), Cierre del negocio (CN), Implementación (I). Eje de las Y's: Visitas a clientes (Vo a Vn).

Las herramientas que proponemos en este libro de consulta para llegar a obtener consistentemente *Negociaciones Robustas* y aumentar el triángulo o el pastel, en lugar de dividirlo entre las partes son:  la Metodología de Ventas, Planeación Estratégica, Propuestas y Presentaciones Exitosas, Habilidades y Conocimientos del Arte y la Ciencia de la Negociación.

Aprenda a ir más allá de las habilidades de negociación y sea consistentemente exitoso al cerrar tratos personales o de negocios.

### ¡ No deje valor en la mesa de negociación, aprenda a llevárselo con usted!

### Bienvenido a bordo.

# La orientación de esta obra

El presente libro pretende ser una guía de consulta para los participantes a las conferencias del Dr. Habib Chamoun, Consultor en Desarrollo de Negocios. Este documento es único en su género al combinar conceptos y prácticas de Desarrollo de Negocios.

El autor presenta el balance del arte, la sensibilidad, el carisma, los procesos y estrategias de negocios, ventas y negociación. La época de vender por vender ya pasó... ¡cambiemos! Se vende para ganar con el proceso de la negociación.

El autor presenta esta obra con el fin de sentar las bases para que cualquier persona en el ámbito de los negocios tenga las herramientas necesarias para salir triunfante con el emblema de No sólo Vender por Vender, sino Negociar para Ganar. Parte del principio de que todo es negociable y de que la finalidad de la negociación es la de mejorar las condiciones de tiempo, recursos y alcances de los proyectos que estemos realizando.

¡Todos somos vendedores! algunos nacemos y otros nos hacemos. Algunos trabajamos para empresas y otros para nuestros clientes.

La base y el motor de las empresas desde el origen de la humanidad han sido las ventas y la mercadotecnia.

Entre más complejo se ha vuelto el producto o el servicio a vender, parece ser que más complejos son los sistemas y los procedimientos de ventas. Es por esta razón que la especialidad de Desarrollo de Negocios entra en juego para llegar a realizar exitosamente la venta y el desarrollo de proyectos de servicios y productos.

## Desarrollo de Negocios: arte y ciencia a la vez

Desarrollo de Negocios es un arte por la pasión de vender, la sensibilidad de conocimiento del cliente, la inteligencia emocional para saber cómo comunicarnos cuándo y dónde; la personalidad para agradar a la mayor parte de los clientes, la química para rápidamente entrar en su mismo canal y otras características como las de ser líder y algo de psicólogo.

Es una ciencia por la lógica, los sistemas, la metodología, la organización, las funciones, las etapas y el ciclo de desarrollo de negocios, ventas y negociación.

# CAPÍTULO 1

# Metodología de Ventas CHAMOUN®

*"Aquel hombre que pierde la honra por el negocio, pierde el negocio y la honra"*
*Francisco de Quevedo*

Las compañías más eficientes tienen un proceso de negociación y una metodología de ventas bien definida, estructurada y sistematizada. El interés por formalizar los procesos de negociación y ventas en los últimos años ha producido varias metodologías que favorecen el alcance de resultados exitosos.

En este capítulo se explica la metodología de ventas Chamoun®. La Metodología de Ventas Chamoun®, a diferencia de las metodologías citadas en la bibliografía, resalta no sólo al cliente y a la oportunidad de negocios, sino también clasifica al vendedor en cuatro tipos. Además, en cuanto a las características de los tomadores de decisión dentro de la empresa del cliente, la Metodología Chamoun® modifica la Metodología "TAS" versión 7.0 "On target" 1999 agregando los estilos de comunicación de Greg Morganthau como factor importante en la identificación de los tomadores de decisiones en el momento de negociar.

**Este capítulo contiene los siguientes temas:**

I.1 Análisis de oportunidad
I.2 Identificación de los tomadores de decisiones
I.3 Formatos (F-0 al F-7)
I.4 Estrategias
I.5 Las 10 P´s de la metodología
I.6 El checklist de la metodología
I.7 Teoremas de la metodología
I.8 Chamoun - Prodoehl SPI Index
I.9 Tipos de vendedores Chamoun®

## Características de la Metodología de Ventas

Las características que definen esta metodología de ventas se pueden resumir de la siguiente manera:

- Identifica visión del cliente, motivadores y preocupaciones
- Identifica tomadores de decisión, motivadores, influencia interna y externa, así como los círculos de poder
- Identifica adaptabilidad al cambio tecnológico de los usuarios
- Identifica fortalezas y debilidades de la competencia y propias
- Ayuda a definir estrategias competitivas y hacia los tomadores de decisión
- Ayuda a escribir un plan ganador
- Apalanca con los esfuerzos de posicionamiento
- Prepara varias soluciones para el cliente
- Crea estrategia de captura de negocios:
  - Organización del cliente
  - Competencia

**Diferentes Metodologías de Ventas**

Entre las diferentes metodología de ventas que existen, resumimos las de mayor importancia:

- Capture Planning, Shipley Associates, 1994
- Spin Selling, Huthwaite Inc., 1988
- Strategic Selling, Miller Heiman, 1995
- Solution Selling, Michael T. Bosworth, 1995
- Power Selling, Jim Holden, 1995
- TAS versión 7.0, "On target ®", 1999

# I.1 Análisis de la oportunidad

Antes de poder decidir si vamos a perseguir una oportunidad de negocios para nuestra empresa, debemos de hacer un análisis de conciencia (a manera de guía se incluye el Formato F-1) para saber si realmente existe una oportunidad, si podemos competir, si podemos ganar, si es rentable, si conocemos todos los factores externos e internos que giran alrededor de la toma de decisión. ¿Su cliente es estratégico?, ¿Ha participado en proyectos anteriores? ¿Qué tan buena experiencia tenemos con el cliente? ¿Qué tan buena relación tiene con nuestra competencia? ¿Es el primero de muchos proyectos? ¿Quiénes son los tomadores de decisión? ¿Tomadores de decisión externos a la organización del cliente pueden influir la toma de decisión del cliente? ¿Cuál es el motivo de la compra? ¿Es estratégico para el cliente (crecimiento) o sólo es táctico (fin de año fiscal)? ¿Qué tipo de relación tenemos con el cliente? ¿Qué relación queremos? ¿Qué tipo de vendedor tenemos? ¿Qué tipo de vendedor queremos? (como referencia ver la guía de Tipos de Vendedores CHAMOUN®), etc.

Planear antes de hacer una propuesta a un cliente, nos ayuda a darnos cuenta si realmente queremos participar en la oportunidad en cuestión o no. Este procedimiento nos permite deshacernos de oportunidades en las cuales al final de cuentas no debemos participar y nos convierte en vendedores más eficientes al seleccionar los proyectos estratégicos y más redituables a largo plazo.

El ser exitoso en obtención de nuevos proyectos con nuestros clientes depende del análisis de la oportunidad. Al hacer este análisis, no solo sabremos en qué proyectos concursar, sino también en que proyectos no participar.

Esto aumentará el *índice de bateo* al participar en las propuestas de servicios (índice de bateo como el número de propuestas ganadas / número de propuestas concursadas). El tiempo y los recursos son limitados, usémoslos inteligentemente.

# I.2 Identificación de tomadores de decisión

## Identificación de los Tomadores de Decisiones

Se debe identificar dentro de la organización del cliente quiénes son los tomadores de decisiones del proyecto en cuestión. Cada tomador de decisiones, se caracteriza sobre la base de cinco variables. Estas variables son:

- Estilos de comunicación de Greg Morganthau
- Roles de compra
- Relación
- Cobertura
- Adaptabilidad al cambio

El organigrama formal del cliente, no precisamente nos muestra quiénes serán los potenciales tomadores de decisiones, por eso debemos de considerar a los que pudiesen tener influencia informal, por ejemplo un experto interno o un consultor externo (ver Figura I.1).

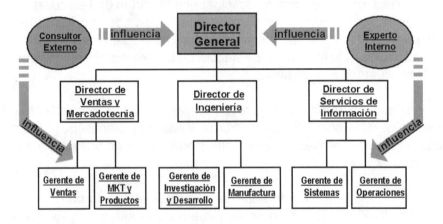

Figura I.1 Organización Formal y Factores de Influencia Informales

## Características

I. Los *Estilos de Comunicación de Greg Morganthau,* nos ayudan a determinar qué tipo de presentación se debe de hacer al cliente dependiendo del su estilo.

Estos estilos son:
a) Relacionador, b) Directivo, c) Analítico y d) Persuasivo.

II. Los roles de compra, de acuerdo a las diferentes metodologías de la literatura, se consideran en: a) El que aprueba, b) El que evalúa, c) El usuario, d) El que toma la decisión.

III. La relación, de acuerdo a las diferentes metodología de ventas se caracteriza por: a) Mentor, b) Partidario, c) Neutral, d) No partidario, e) Enemigo.

Acerca de la relación:

- El *mentor* es aquel tipo de persona, que encontramos en la vida en diferentes situaciones o trabajos y siempre buscan ayudarnos por el hecho de ayudarnos (Son contados con los dedos de la mano). Debemos de apoyarnos cuando sea necesario de nuestros mentores.

- El *partidario* es aquél, al que le convence nuestra solución.

- El *neutral* es aquél que si no le preguntan, no opina que nuestra solución es buena.

- El *No-partidario* es aquél que no tiene interés por nuestra solución.

- El *enemigo* es el amigo de nuestra competencia.

Sabiendo lo anterior, los roles de compra y los estilos de comunicación, podremos dictar estrategias para vender internamente en la organización de nuestros clientes

IV. La cobertura tiene que ver con qué tanto hemos visitado a ese cliente: a) Ninguna vez, b) Pocas veces, c) Múltiples veces, d) Ampliamente.

V. La Adaptabilidad al Cambio, de acuerdo a la Universidad de Iowa, caracteriza a las personas como: a) Innovadores, b) Visionarios, c) Pragmáticos, d) Conservadores y e) Rezagados.

Ejemplo:

- Si vendemos ideas, nuestros mejores clientes están entre visionarios e innovadores.
- Si vendemos tecnología ya probada, nuestros mejores clientes están entre los pragmáticos y los visionarios y debemos de evitar a los rezagados o perderemos el tiempo.
- Si vendemos seguridad, nuestros mejores clientes son conservadores.

Lo importante es conocer la organización del cliente y poder tener las cinco características de los tomadores de decisión identificadas, y plasmarlas sobre la figura I.2 para ver qué estrategias seguir con cada uno.

Identifique los tomadores de decisión con las siguientes variables: Estilos de comunicación, Roles de compra, Relación, Cobertura, Adaptabilidad al cambio. Después escriba sobre los espacios mostrados en esta figura las variables con su número inicial de cada tomador de decisión, incluya también aquellos tomadores de decisión que no aparecen formalmente en el organigrama como consultores externos e internos.

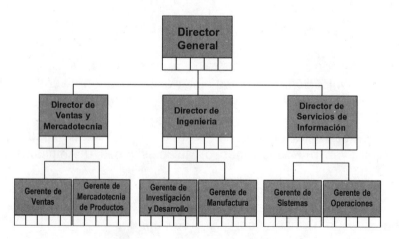

Figura I.2  Organización del Cliente

Además de las cinco variables para describir a los tomadores de decisiones en la compra de nuestros servicios y productos, debemos de preguntarnos si estos tomadores, ya identificados, son gente «tóxica», como lo define Gaby Vargas, experta en relaciones humanas. Agregaría que si sabemos que existe gente «tóxica» dentro de la organización de su cliente y tenemos que lidiar con éstos, asegúrese de que no se entere que usted está visitando sus oficinas, porque le harán la vida de cuadritos sin deberla ni temerla.

Gaby Vargas define a gente «tóxica» como:

*"Aquellas personas que descargan comentarios negativos que nos hieren, o dejan una cicatriz en nuestra vida, la podríamos llamar «gente tóxica». Cualquiera puede ser una persona «tóxica», un compañero de clase, un hermano(a), un papá, una pareja, ¿Acaso nosotros? Sujetos que de alguna manera sabotean nuestros esfuerzos por llevar una vida feliz y productiva. Cabe aclarar que una persona puede ser nociva para alguien, y no serlo para los demás.*

*Todos lo seres humanos quisiéramos ganarnos el respeto, la aceptación y el reconocimiento de los demás. A todos nos gustaría escuchar siempre palabras de aliento. Tristemente sabemos que no es así. Reconocer una persona «tóxica», y saber que hacer cuando nos topamos con una de ellas en nuestra vida, es de gran ayuda.*

*¿Cómo identificarla? Piense en una persona que le incomode, o que le cueste trabajo llevarse con ella y pregúntese lo siguiente:*

- *¿Se pone de mal humor o se siente devaluado después de estar platicando con ella?*
- *¿Se siente poco atractivo(a) después de haber estado con la persona?*
- *¿Le ignora y le hace sentir como si no existiera? o ¿Le hace un chiste de mal gusto, y después se rie y le dice era broma?*
- *¿La persona le provoca dolor de cabeza?, ¿Se le tensa el cuello? o ¿Siente alivio cuando se va?*

- *Cuando habla con ella ¿Le cambia la expresión de la cara, se le dificulta encontrar las palabras o tartamudea al hablar?*

*Si contestó "si" a las preguntas podrá darse cuenta cómo estas personas cambian nuestro comportamiento, sentimientos y nos enferman. ¿Ha visto cómo hasta los perros les ladran y les gruñen?*

*¿Por qué actúan así? Estudios comprueban que una persona con baja autoestima, hará lo que pueda para sabotear las relaciones, o bien hará lo que sea para sentirse importante. La raíz, en la mayoría de los casos, son los celos. Éstos son una respuesta primitiva, incluso en los animales. Los seres humanos nos relacionamos de forma muy diferente. Cuando sentimos que nos falta algo que otro tiene, o tiene más, afloran los celos y comenzamos a actuar de una manera irracional.*

*Los celos son la causa principal por la que la mayoría de las relaciones terminan. A la gente «tóxica» le molesta cuando otro tiene éxito, cuando es atractivo, cuando está muy flaca, o muy gorda, o muy alta, o muy rubia, cuando es muy simpática, muy culta o cuando se lleva bien con otro amigo, cuando lo promovieron en el trabajo, etcétera.*

*Vivir para darle gusto a todo el mundo es imposible, así como lo es sacrificar un tipo de éxito en aras de ser aprobado. Lo que tenemos que hacer es amarnos a nosotros mismos, aceptarnos y comprender que para alguien siempre seremos una amenaza en su seguridad, a veces sin ninguna reacción específica; cuando admitimos esto, viviremos más tranquilos y tendremos menos decepciones. Bill Cosby dice: «No se cual es la clave del éxito, pero la clave para el fracaso es tratar de complacer a todo el mundo» ¡Tiene toda la razón!*

*Hay varios tipos de gente «tóxica»: los que a todo mundo recortan, los del club de la lágrima perpetua. Los «mosca muerta», los chismosos, los que son como boxeadores a la ofensiva, los que disfrutan difundir malas noticias. Los que son dos caras, los camaleones, los oportunistas, los sabelotodo, los mentirosos, los metiches, los narcisistas ¿Recordamos a alguien así?, ¿Acaso nosotros mismos?*

¿Cómo podemos neutralizarlos? Primero, evitar al máximo entrar en contacto con la persona. Cuando no es posible evitarlo, podemos en su presencia hacer lo siguiente:

1. Respirar hondo, sostener el aire por tres segundos pensando en la persona que nos daña, para después soltar el soplido y aventar mentalmente la mala sensación, hasta quedar sin aliento. Repetir la operación tres veces y a la cuarta exhalar profundamente con alivio.

2. Con comprensión. Es común y probable que la gente «tóxica» no haya recibido el suficiente amor en su vida. Nos toca a nosotros comprenderlo. Se necesita una buena dosis de fortaleza interna para convertir el coraje en comprensión y mantener el control. Mientras recibimos el comentario o la actitud negativa, recordemos que la persona debe sentir mucho dolor, vacío y soledad. En el momento en que le sonreímos amablemente y le brindamos amor es increíble el cambio radical que observamos en el tono de su voz, lenguaje corporal y sus gestos.

Nuestra tarea es «hacerle sentir que no somos el enemigo, que estamos a su lado, así como analizamos para ver si acaso no somos nosotros la persona «tóxica».*

---

*Texto tomado para ser incluido en este libro con permiso del autor: Gaby Vargas

# I.3 Formatos (F-0 al F-7)

El llenado de los siguientes formatos, F-0 al F-7, tiene como intención hacernos pensar en detalle acerca de la oportunidad que tenemos al alcance.

Si al completar los formatos, nos damos cuenta que no es el cliente estratégico, que no podemos competir, que no podemos ganar, o que no tenemos un valor agregado para ese proyecto específico, lo mejor es no participar y buscar otras oportunidades que valgan la pena.

**Formato de  metodología F-0**

Este formato F-0 sirve como un documento de control de potenciales prospectos. Esta lista de los diferentes prospectos debe actualizarse con los últimos acontecimientos de cada cuenta. El formato sirve para evaluar a los vendedores en función de datos históricos y tendencias de venta.

| F-0 Documento de seguimiento de prospectos | |
| --- | --- |
| Nombre | |
| Oportunidad | |
| Renta /venta | |
| Precio | |
| Margen | |
| Estatus | |
| Tipo | |
| Visita | |
| Presenta Cotización | |
| Fecha a cotizar | |

## Formato de metodología F-1

El formato F-1 apoya al vendedor a analizar de fondo la oportunidad que trae entre manos. La forma de este documento no es importante, lo que es importante es el contenido y el objetivo del documento. El objetivo es lograr que el vendedor piense antes de actuar.

---

### F-1 Documento de análisis de la oportunidad

**¿Participamos en la oportunidad?**

1. Nombre y descripción de cliente_____
2. Oportunidad específica-proyecto en evaluación_____
3. Valor total del proyecto_____
4. Alcance y valor de nuestros servicios_____
5. Desarrollador de negocios_____
6. Fechas de entrega de propuesta, cierre y arranque de servicios_____
7. Presupuesto requerido_____
   - Obtener mayor información de la oportunidad_____
   - Participar en la siguiente fase de propuesta_____
8. Tiempo estimado del ciclo de ventas_____
   (ID de la oportunidad del cierre)
9. Comentarios_____
10. Competencia(debilidades, fortalezas, estrategias)

   _____
11. Trabajo previo con el cliente: Sí_____    No_____
12. Si la respuesta a la pregunta anterior fue positiva ¿Qué tal fue la experiencia?
    Buena _____    Mala_____
13. ¿Cuál será el porcentaje que representará este proyecto de los ingresos totales en los próximos dos años?_____
14. ¿Se requiere aprobación del ejecutivo? Sí_____ No_____
15. ¿Es cliente estratégico?_____
    ¿Por qué?_____
16. ¿Cuál es su estrategia para ganar?_____
17. ¿Cuál es el avance con respecto a la revisión anterior de este documento P?
    0%_____    10%_____    30%_____
18. Avance del proyecto _____%
19. Probabilidad de que ganemos el proyecto _____%
20. ¿Recomienda participar? Sí_____    No_____
    ¿Por qué?_____

---

## Formato de metodología F-2

Este formato es de apoyo para F-1. Se utiliza para tener más información de la competencia.

| F-2 Documento de análisis de fortalezas y debilidades de la competencia |
|---|

¿ Cuáles son las fortalezas y debilidades de la competencia ?

Nombre y descripción de cliente _____

Oportunidad específica _____

Valor total del proyecto _____

Alcance y valor de nuestros proyectos_____

| Análisis de la competencia | | | |
|---|---|---|---|
| Nombre | Fortalezas | Debilidades | Estrategias |
| | | | |

## Formato de metodología F-3

Este formato al igual que el F-2 es de apoyo para F-1. Se utiliza para tener más información de las fortalezas y debilidades de nuestra empresa para la oportunidad específica en cuestión.

| F-3 Documento de análisis de fortalezas y debilidades de nuestra empresa |
| --- |

**¿ Cuáles son las fortalezas y debilidades de nuestra empresa ?**

Nombre y descripción de cliente _____

Oportunidad específica _____

Valor total del proyecto _____

Alcance y valor de nuestros proyectos_____

| Análisis de nuestra empresa | | | |
| --- | --- | --- | --- |
| Nuestra Empresa | Fortalezas | Debilidades | Estrategias |
| | | | |

## Formato de metodología F-4

F-4 es un formato que nos ayuda a identificar a los tomadores de decisión y a escribir que estrategias seguir con cada uno de ellos dependiendo de las cinco variables.

| F-4 Documento para determinar tomadores de decisiones |
|---|
| **¿ Quiénes son los tomadores de decisiones en la organización del cliente?** |
| Nombre y descripción de cliente _____ |
| Oportunidad específica _____ |
| Valor total del proyecto _____ |
| Alcance y valor de nuestros proyectos_____ |
| Nombre _____ |
| Posición _____ |
| P. críticos _____ |
| Motivadores _____ |
| Relación _____ |
| Estrategia _____ |

Llene el nombre de su cliente y sus características que se describen en la tabla de la siguiente página.

| Características | |
|---|---|
| Estilo de comunicación | Relacionador, Analítico, Persuasivo, Directivo |
| Cobertura de contactos | Ninguno, Poco, Múltiple, Amplia |
| Estatus | Mentor, Partidario, Neutral, No partidario, Enemigo |
| Adaptabilidad al cambio | Innovadores, Visionarios, Pragmáticos, Conservadores, Rezagados |
| Rol de compra | Aprueba, Evalúa, Usuario, Decisión |

## Formato de metodología F-5

El quinto formato nos ayuda a establecer una serie de pasos tácticos estableciendo responsables para llevar a cabo el plan de acción de la venta.

| F-5  Documento de acciones y tácticas a tomar | | | |
|---|---|---|---|
| ¿ Qué acciones debemos de tomar para seguir adelante con esta oportunidad ? | | | |
| Nombre del cliente _____ | | | |
| Oportunidad específica - proyecto en evaluación_____ | | | |
| Acción | Objetivo | Responsable | Fecha |
|  |  |  |  |

## Formato de metodología F-6

Este formato sirve para ensayar en nuestras oficinas el plan antes de salir con el cliente. Nos permite hacer posibles mejoras y determinar los punto críticos.

| F-6 Documento para prueba piloto |
| --- |

¿ Cuál es nuestro plan de acción?

¿Podemos poner a prueba nuestro plan de acción antes de implantar?

¿Podemos verificar y mejorar el plan antes de implantar?

Nombre del cliente _____

Oportunidad específica - proyecto en evaluación_____

| Acción | Objetivo | Responsable | Fecha |
| --- | --- | --- | --- |
|  |  |  |  |
|  |  |  |  |

## Formato de metodología F-7

El último formato de esta serie nos cuestiona que tan rentable es el negocio.

---

### F-7 Documento de retorno de la inversión

**¿Qué tan rentable es la oportunidad?**

1. Nombre del cliente_____

2. Oportunidad específica- proyecto en evaluación _____

3. Objetivo de la empresa ¿Va de acuerdo con el prospecto en cuestión?

   _____

4. Existe presupuesto con el cliente _____

5. ¿Si ganamos tenemos los recursos? _____

6. ¿Requerimos inversión inicial? _____

7. ¿Es una inversión a largo plazo? ¿Por qué? _____

8. ¿Qué retorno estamos buscando? _____

9. ¿Qué retorno nos da el proyecto? _____

10. ¿Necesitamos financiamiento inicial? _____

11. ¿El cliente es estratégico y estamos dispuestos a sacrificar ganancias?

    Sí _____ NO _____

    ¿Por qué? _____

    _____

---

# I.4 Estrategias de negociación

Las estrategias de negociación son los pasos que deben llevarse desde el análisis de la oportunidad de un negocio hasta el cierre eficiente del mismo. Sirven para pronosticar el resultado del negocio, nos dan herramientas de prevención de un mal negocio o de acción para concretar un cierre exitoso.

## Estrategia de Ventas

- ¿Tenemos realmente los recursos para solucionar las necesidades del cliente?

- ¿Qué alianzas debemos iniciar para extender nuestros servicios a un mayor campo de acción?

- ¿Cómo vamos a convencer al cliente de que nuestras soluciones resuelven sus necesidades?

- ¿A quiénes -dentro de la organización del cliente- se debe vender idea?

- ¿A quiénes -dentro de nuestra organización- se debe vender la idea?

- Presentación inicial

- Saber cuándo escuchar y cuándo vender

- Escuchar - Escuchar - Escuchar

- Estrategia de presentación de capacidades
    - Tener agenda tentativa
    - Cambiarla completamente

- Soluciones creativas:
    - A largo plazo las mejores soluciones son las que aprecia el cliente, no las que él quiere oír
    - La creatividad es un valor agregado que puede ser un diferenciador importante con la competencia

## Estrategias para desarrollar competitividad

- Posición
    - Defensa - Se aplica cuando estamos adentro y llega amenaza de nueva competencia
    - Desarrollo - Se aplica para alargar la toma de decisión del cliente

- Ataque
    - Frontal -Se aplica cuando sus capacidades son tres a uno contra las de la competencia
    - Flanqueo- Se aplica a la competencia fuerte para llegarles por sorpresa
    - Fragmento- Se aplica para escoger el fragmento más rentable del negocio en el que seamos los mejores

## Estrategias de Relación

- Neutralizar
    - Enemigo
    - No-Soporte

- Motivar
    - Neutral

- Apalancar
    - Soporte
    - Mentor

# I.5 Las 10 P´s de la metodología

Las 10 P's son los pasos que deben realizarse desde el análisis de la oportunidad de un negocio hasta su cierre efectivo; sirven para pronosticar el éxito del mismo. Nos dan las herramientas de prevención para alejarnos de un mal negocio o de acción para concretar un cierre exitoso.

## Las 10 P´s de la Metodología

- Participa analizando la oportunidad
- Personaliza entendiendo qué motivaciones y puntos críticos están detrás de cada tomador de decisión
- Profundiza en las debilidades y fortalezas
- Pronostica rentabilidad de la inversión
- Propón estrategias de relación y de competitividad
- Planea que acciones se deben tomar
- Pon en práctica el plan con una prueba pionera
- Planea para GANAR
- Presenta el plan de acción e implementa
- Pronostica ÉXITO

## 1. Participa analizando la oportunidad

- Entendimiento de las necesidades del cliente
  - Táctico (final del año fiscal, reposición de equipo)
  - Estratégico (nuevo servicio mercado producto, expansión)
  - Político (interno de la compañía)
- Identifica evento motor o evento crítico
  - ¿Porqué el cliente necesita tomar una decisión de hacer una compra?
- Identifica proposición de valor única
  - ¿Cuál es la propuesta única y especial hacia el cliente?
  - ¿Cómo la puede desarrollar?

**EJEMPLOS**

1. Posición de valor hacia el cliente «X» podrá _____ resultando en_____al implementar nuestra solución. En «X» hemos tenido resultados similares con _____lo que resultó en_____.

2. Existe evento motor / crítico Y solución única. Cambiando de _____ a _____ Usted podrá afectar_____lo que significará_____, Nosotros en «X» llevaremos un seguimiento del valor agregado por _____y se lo estaremos reportando_____.

Entender la necesidad del cliente es importante, para esto, debemos analizar estas interrogantes:

- Perfil del cliente
  - ¿Qué conocemos y que nos falta por conocer de nuestro cliente?

- Objetivo general
  - ¿Qué le gustaría ser al cliente?
  - ¿Cómo le gustaría ser reconocido?
  - ¿Hacia donde vamos juntos? , largo plazo, visión

- Objetivos específicos
  - ¿Cómo medimos el progreso hacia el objetivo general?
  - ¿Qué debe de llevarse a cabo?, específico en tiempo, mensurable, alcance

- Estrategia
  - ¿Cuáles serán los caminos que vamos a seguir para cumplir con los objetivos generales y específicos?
  - ¿Cómo le vamos a hacer para llegar?

- Tácticas
  - ¿Cuáles son las actividades específicas que nos harán llegar a cada punto de la estrategia?

## 2. Personaliza entendiendo qué motivaciones y puntos críticos están detrás cada tomador de decisión:

Desarrollo de la Relación de Cliente / Proveedor
- ¿Qué Relación Queremos?, ¿Cómo nos vemos con el cliente?
- ¿Qué Relación Tenemos? (ver Figura I.3)

Figura I.3   Relación de Cliente / Proveedor y los cuatro Tipos de Vendedores CHAMOUN®. Los Tipos de Vendedores CHAMOUN® son: MB, Mente en Blanco, SV, Simple Vendedor, DDNP, Desarrollador de Negocios Potencial y DDNI, Desarrollador de Negocios Ideal (ver sección I.9).

Este factor considera el modelo de Tipos de Vendedores CHAMOUN®. La Figura I.3 describe los Tipos de Vendedores CHAMOUN® Esta figura identifica la relación del cliente proveedor con respecto a la cultura. La base del triángulo representa mayores diferencias entre la cultura del cliente y la del proveedor, por lo cual la relación de este último es de un simple proveedor implicando menores esfuerzos.  La punta de la pirámide representa mayor similitud entre la cultura del cliente con la del proveedor y la relación de trabajo es la de un consejero de confianza que implica mayores esfuerzos.  ¿Dónde está su relación con sus diferentes clientes? ¿Qué tipo de vendedor es usted?

La relación cliente proveedor es en función directa de qué tan alineado estratégicamente esté el cliente con su proveedor. Por otro lado, el tipo de vendedor CHAMOUN® depende, entre otras cosas, de la rapidez del cierre, de la metodología y del valor agregado del vendedor.

El tipo ideal de vendedor CHAMOUN®, es como su nombre lo indica, el tipo de desarrollador de negocios ideal (ver figura I.7). Para llegar a este tipo de vendedor se requiere bastante esfuerzo y energía por parte del vendedor; la pregunta entonces es ¿Vale la pena la energía con tal o cual cliente?¿Con qué cliente debemos ser desarrollador de negocios?¿Con el cliente que nos considera simples proveedores? (ver figura I.3).

Por otro lado, hagamos un análisis de conciencia y evaluemos qué tipo de vendedor representamos con tal o cual cliente. Si por ejemplo, determinamos que estamos actuando como simples vendedores(ver figura I.7) con clientes estratégicos, éste sería un foco rojo; o bien no entendemos que es un cliente estratégico; o bien no tenemos la infraestructura para soportar a tantos clientes; o bien debemos de cambiar de actitud. El área de ventas no es algo sencillo y fácil; por el contrario, es lo más complejo. A veces vendemos muy rápido porque quizá impresionamos a los clientes en la primera visita con la actitud de desarrolladores de negocios potenciales (ver figura I.7) y a la hora de la operación, ya hecha la venta, nos convertimos en simples vendedores.

A veces vendemos sin decir nada, el mercado nos compra y estamos sólo siendo "levanta-pedidos" o simples vendedores; sin embargo al entrar nueva competencia o la necesidad de vender, nos encontramos con problemas en el área de ventas. Entonces ¿quién dice que las ventas son sencillas? ¿Cuál es la fórmula? ¿Ser simples vendedores para clientes no estratégicos, pero no decirles simplemente que no; o bien, sólo ser desarrolladores de negocios ideales para clientes estratégicos? No, definitivamente esto es una mezcla que nos da experiencia; por ejemplo, podemos ser desarrolladores de negocios potenciales (sin concretar) hasta averiguar realmente qué interés tiene en nuestros servicios el cliente, si el cliente no respeta nuestros servicios debemos ser simples vendedores y el cliente no detectará la diferencia, ya que para empezar nos tiene como simples proveedores. Si el cliente vale la pena a largo plazo, hay que ir cambiando de tipo, dependiendo de la respuesta del cliente y de la relación que quiera con nosotros.

La idea es optimizar la relación de nuestros clientes y saber dónde estamos parados con cada uno para no gastar las energías en clientes que no son estratégicos y al final del día llegar a donde queremos llegar.

Todos los clientes son buenos, sólo hay que distinguir cuáles son los beneficios de tener una mezcla de clientes estratégicos y de clientes que nos perciben como simples proveedores.

Para poder ser efectivos en este punto, es necesario analizar las siguientes preguntas para identificar a los tomadores de decisiones, sus motivaciones y nexos con el cliente:

- Organización del cliente
    - ¿Quiénes son los socios?
    - ¿Qué alianzas estratégicas tienen el cliente y sus socios?
    - ¿Quién es la gente con mayor poder?
    - ¿Cómo es la organización formal o informal?
    - ¿Quién tiene influencia sobre quién?
    - ¿Quién está en el círculo interno de la compañía?
    - ¿Quién está en el círculo político de la compañía?
    - ¿Quiénes son los seguidores?

- Identificando influencia
    - ¿Quién escribió los valores del negocio?
    - ¿Quién tiene experiencia probada?
    - ¿Quién escribió las políticas y filosofías de trabajo?
    - ¿Quién dirige a equipos de poder y aliados?

- Valores del negocio
    - ¿Quién decide qué es importante?
    - ¿Quién define y los crea?
    - ¿Quién lo desempeña?

- Experiencia probada
    - ¿Quién es exitoso consistentemente?
    - ¿Quién es asignado a las tareas importantes?

- Equipos de poder y aliados
    - ¿Quién está conectado?
    - ¿A quién buscan para sugerencias?
    - ¿Quién es el líder informal?

- Política y filosofía de trabajo
    - ¿Quién la estableció?
    - ¿Quién puede cambiarla?

## Profundiza en las debilidades y fortalezas

Análisis de debilidades y fortalezas de nuestra competencia y nuestra empresa en detalle (ver formatos F-2 y F-3)

## Pronostica rentabilidad de la inversión

- ¿Vale la pena el negocio?
- Hacer un análisis de costo beneficio (ver formato F-7)

## Propón estrategias de relación y competitividad

- ¿Qué estrategias seguiremos para ganar accesibilidad y empatía con el cliente?
- ¿Qué estrategias seguiremos para minimizar nuestras debilidades y fortalecer nuestras ventajas competitivas?
- ¿Qué estrategias seguiremos para enfatizar nuestras fortalezas y neutralizar las de la competencia?

## Planea que acciones se deben tomar

- Hacer lluvia de ideas
    - Determinar qué falta en el plan
- Consolidar ideas generadas en la lluvia de ideas
    - Agrupar puntos lógicamente conectados y eliminar redundancias
- Probar las tácticas «X» internamente
    - Determinar que recursos se necesitan
    - Asegurar que cada táctica vaya ligada a una estrategia
- Crear  compromiso con la gente de la empresa
    - Asignar responsabilidad
    - Identificar fechas de terminación de actividades
- Llevar a cabo los pasos necesarios (tácticas) para ejecutar el plan
- Presentar resultados dentro de nuestra empresa

## Pon en práctica el plan con una prueba pionera

Ensayar el plan internamente antes de salir con el cliente es una buena idea para probar las estrategias y ver cuáles fallan para cambiarlas por estrategias alternas, también nos daremos cuenta de que información falta y nos dará tiempo de obtenerla antes de la visita al cliente (ver Figura I.4; En esta figura: A, B, C y D son grupos de gente).

| PRESENTAR | ENTENDER | PROBAR | MEJORAR | IMPLEMENTAR |
|---|---|---|---|---|
| • A<br>Presenta plan | • B, C, D<br>Escuchar<br>y tomar notas<br><br>• B, C, D<br>Hacen preguntas<br>para clarificar | • B, C, D<br>Definen y<br>preparan retos<br><br>• A<br>Se prepara<br>para la sesión<br>de retos<br><br>• B, C, D<br>Presentan<br>retos<br><br>• A<br>Escucha | • A<br>Busca solución<br><br>• B, C, D<br>Prepara solución<br>alterna<br><br>• A<br>Presenta solución<br><br>• B, C, D<br>Escuchan<br><br>• B, C, D<br>Presentan<br>recomendaciones<br><br>• A<br>Actualiza plan | • A, B, C, D<br>Implementan |

Figura I.4 Secuencia de eventos de la metodología TAS versión 99 para probar el plan de acción

## Prueba el plan

Esta es la secuencia que utiliza la metodología de TAS versión 99 para probar el plan

| | |
|---|---|
| Entendiendo el Plan | ❑ A presentar el plan<br>❑ B, C, D escuchar y tomar notas<br>❑ B, C, D hacer preguntas<br>❑ A clarificar el plan |
| Probando el Plan | ❑ B, C, D preparar retos<br>❑ A anticipar retos<br>❑ B, C, D presentar retos<br>❑ A escuchar |
| Mejorando el Plan | ❑ A resolver retos<br>❑ B, C, D preparar recomendaciones<br>❑ A presentar ideas<br>❑ B, C, D escuchar<br>❑ B, C, D presentar recomendaciones<br>❑ A actualizar el plan |

## Planea para ganar

- **G** ENERAR y demostrar su valor
- **A** DELANTAR la obtención de la información faltante
- **N** O DEJAR pasar a la competencia
- **A** SEGURAR minimizar sus debilidades
- **R** ESUMIR enfatizando sus fortalezas

## Presenta e implementa el plan de acción

Los pasos a seguir para implementar el plan de acción son los siguientes:

| Paso | Acción |
|---|---|
| 1 | Discutir el plan de acción con su gente |
| 2 | Apliquen el plan inicial de inmediato a las oportunidades:<br>❑ Estratégicas<br>❑ Complicadas<br>❑ De mayores retos |
| 3 | Completar el plan de acción y ensayar antes de visitar:<br>❑ Al cliente interno<br>❑ Al cliente externo |

**Pronostica Éxito**

Siguiendo una metodología nos permite minimizar errores y repetir los éxitos

# I.6 El checklist de la metodología

### Checklist: Análisis de la oportunidad

A continuación, parcialmente con base en la Metodología "TAS", versión 99, se presenta una serie de preguntas basadas principalmente en 5 grandes aspectos:

1. ¿Existe una oportunidad real con el cliente?
2. ¿Cómo nos enteramos de la oportunidad?
3. ¿Podemos participar / competir?
4. ¿Podemos ganar?
5. ¿Vale la pena?

**Pensar antes de Actuar**
**Planear antes de Proponer**

## 1. ¿Existe una Oportunidad?

¿Realmente existe un proyecto? o ¿El cliente requiere una cotización sólo para aprobar su presupuesto anual?

| Apoyo al Formato F-1 | Análisis de la Oportunidad |
|---|---|
| Proyecto | ❑ ¿Existe Proyecto?<br>❑ ¿Cuáles son los puntos importantes para el cliente?<br>❑ ¿Cuáles son los requerimientos del cliente?<br>❑ ¿Cuáles son los objetivos del proyecto?<br>❑ ¿Cómo encaja este proyecto en la estrategia de negocios del cliente?<br>❑ ¿Quién empezó el proyecto?<br>❑ ¿Quién estará trabajando en el proyecto? |
| Perfil del Negocio | ❑ ¿Qué tipo de empresa es pública / privada?<br>❑ ¿Cuáles son los servicios y productos del cliente?<br>❑ ¿Cuáles son los principales mercados del cliente?<br>❑ ¿Quién es la competencia?<br>❑ ¿Quiénes son sus clientes?<br>❑ ¿Qué es lo que está empujando el negocio del cliente externamente e internamente? |

| Finanzas | ❏ ¿Que tipo de liderazgo sigue?<br>❏ ¿Cuáles son los parámetros clave de medición de desempeño?<br>❏ ¿Cómo se ve la situación financiera futura de la empresa del cliente?<br>❏ ¿Cuáles son las tendencias de ingresos y ganancias del cliente?<br>❏ ¿Cómo se comparan sus números financieros con los de compañías similares? |
|---|---|
| Presupuesto | ❏ ¿Existe Presupuesto?<br>❏ ¿Cuál es el presupuesto para este proyecto?<br>❏ ¿Cuál es el proceso de presupuesto del cliente?<br>❏ ¿Qué prioridad tiene este proyecto para el cliente comparado con otros?<br>❏ ¿De dónde vienen las fuentes de capital del cliente? |
| Razón de Ser | ❏ ¿Cuál es la razón detrás de la oportunidad?<br>❏ ¿Por qué tiene que actuar el cliente?<br>❏ ¿Cuál es la fecha límite para que el cliente tome la decisión?<br>❏ ¿Cuál es la consecuencia de que este proyecto se retrase?<br>❏ ¿Cuál será el impacto en términos tangibles en el negocio del cliente?<br>❏ ¿Si se termina a tiempo el proyecto cuál es el beneficio para el cliente? |

## 2. ¿Cómo nos enteramos de la oportunidad?

Fuentes de Información

- ¿Quién nos informó?
- ¿Va a ser una licitación? ¿O será sólo nuestra mejor cotización?
- ¿Nosotros creamos la necesidad?
- ¿Nos enteramos por un medio de comunicación o por medio de invitación del cliente?

# 3. ¿Podemos participar / podemos competir?

| | |
|---|---|
| Toma de Decisión | ☐ ¿Existe un Proceso de Toma de Decisiones?<br>☐ ¿Cuál es el criterio de decisión del cliente?<br>☐ ¿Cuál criterio de decisión es el más importante? ¿Por qué?<br>☐ ¿Quién formuló el criterio de decisión? |
| Nuestra Solución | ☐ ¿Qué tan bien nuestra solución resuelve el problema del cliente?<br>☐ ¿Qué piensa el cliente?<br>☐ ¿Qué recursos externos necesitaremos para cumplir con los requerimientos del cliente?<br>☐ ¿Qué mejoras o modificaciones se podrían requerir? |
| Recursos | ☐ ¿Cuánto tiempo el grupo de ventas requerirá invertir en esta oportunidad?<br>☐ ¿Qué recursos adicionales externos o internos se requerirán para ganar esta oportunidad?<br>☐ ¿Cuál será el costo de ventas para esta oportunidad?<br>☐ ¿Cuál es el costo de oportunidad si no participamos? |
| Relación | ☐ ¿Cuál es el estatus de su relación actual con el cliente?<br>☐ ¿Cuál es el estatus de la relación de cada competidor con su cliente?<br>☐ ¿Cómo se compara usted o la competencia con la relación ideal desde el punto de vista del cliente?<br>☐ ¿La relación de quien traerá ventajas competitivas para esta oportunidad? |
| Valor agregado | ☐ ¿Qué es el valor agregado de acuerdo al cliente?<br>☐ ¿Cómo define valor agregado el cliente?, ¿Cómo lo mide?<br>☐ ¿Cuál es el resultado específico de negocios que entregaremos nosotros al cliente?<br>☐ ¿Cómo hemos cuantificado este valor en los términos del cliente?<br>☐ ¿Cómo nos diferencia este valor agregado de la competencia?<br>☐ ¿Ha confirmado el cliente el entendimiento del valor agregado que nosotros le ofrecemos? |

# 4. ¿Podemos ganar?

| | |
|---|---|
| Soporte Interno | ☐ ¿Quién dentro de la organización del cliente quiere que ganemos?<br>☐ ¿Qué han hecho para indicar su apoyo?<br>☐ ¿Tienen credibilidad dentro de su propia organización?<br>☐ ¿Están dispuestos a actuar en nuestro favor? |
| Credibilidad | ☐ ¿Qué ejecutivo será afectado o afectará por esta decisión?<br>☐ ¿Cómo has establecido confianza y credibilidad con ellos?<br>☐ ¿Cómo vas a ganar acceso a estos ejecutivos?<br>☐ ¿Cuál es tu plan para ganar acceso de regreso ha estos ejecutivos? |

| Compatibilidad | <ul><li>¿Cuál es la cultura de nuestro cliente?</li><li>¿Está alineada a nuestra cultura empresarial?</li><li>¿Cuál es la filosofía del cliente en cuanto a proveedores de servicios?</li><li>¿Que tan diferente es a la nuestra?</li><li>¿Podremos ajustarnos o adaptarnos? ¿Queremos?</li></ul> |
|---|---|
| Toma de decisión informal | <ul><li>¿Cómo será realmente tomada la decisión?</li><li>¿Qué factores intangibles y subjetivos podrán afectar la decisión?</li><li>¿Cuáles son los puntos no citados?</li><li>¿De quién conocemos su opinión? ¿La opinión de quién cuenta?</li></ul> |
| Alineamiento | <ul><li>¿Quiénes son los más poderosos involucrados en la toma de decisión?</li><li>¿Quieren que ganemos? ¿Por qué?</li><li>¿Serán capaces de influenciar o cambiar el criterio de decisión?</li><li>¿Podrán crear un sentido de urgencia? ¿Cómo han demostrado ésto en el pasado?</li></ul> |

## 5. ¿Vale la pena?

| Rentabilidad | <ul><li>¿Cuál es el margen de ganancia proyectado para esta oportunidad de venta?</li><li>¿Excede nuestras expectativas?</li><li>¿Cómo está este proyecto ligado a futuros ingresos?</li><li>¿Cómo asegurará que las promesas del cliente se convertirán en compromiso?</li></ul> |
|---|---|
| Ingresos corto plazo | <ul><li>¿Existe Potencial de Ingresos Reales a Corto Plazo?</li><li>¿Cuál es el monto del proyecto?</li><li>¿Excede mi expectativa?</li><li>¿Cuándo se cierra la venta?</li><li>¿Cae dentro de nuestro límite aceptable?</li></ul> |
| Ingresos futuros | <ul><li>¿Cuál es el potencial para futuros negocios dentro del próximo año? ¿Dentro de los siguientes tres años?</li><li>¿Excede nuestras expectativas?</li><li>¿Cómo está este proyecto ligado a futuros ingresos?</li><li>¿Cómo asegurarás las promesas del cliente convertirse en compromiso?</li></ul> |
| Grado de riesgo | <ul><li>¿Cómo podríamos causar que nuestra solución falle?</li><li>¿Cuáles son los puntos críticos para asegurar entrega de valor agregado a nuestros clientes?</li><li>¿Cómo podría el cliente causar que nuestra solución falle?</li><li>¿Cuál sería el impacto en nuestro negocio si la solución falla?</li></ul> |
| Valor estratégico | <ul><li>¿Cuál es el valor de esta oportunidad a parte de los ingresos?</li><li>¿Cómo encaja esta oportunidad en nuestro plan de negocios?</li><li>¿Cómo podremos apalancar esta oportunidad para obtener ingresos de otros mercados o compañías?</li><li>¿Cómo ésta oportunidad nos ayudará a mejorar nuestro producto o servicio?</li></ul> |

Conceptos e ideas de este checklist fueron tomados de las diferentes metodologías de ventas en la literatura, entre ellas "TAS" versión 99.

# I.7 Teorema de la metodología

## Teoremas para profesionalizar el Desarrollo de Negocios

Atrás de cada acción en Desarrollo de Negocios debe haber una estrategia bien clara y escrita, o bien no hay acción.

Acción DDN = Estrategia DDN

Esta estrategia es función de la organización del cliente, industria, asociados, competencia, tiempo y mercado.

Estrategia = f(org, c, i, a, co, t, m)

Estas organizaciones son muy complicadas y con grandes retos.

Organización = f(muy complicada, grandes retos)

Interacción (Ventas-Operaciones) = f(complicaciones, retos).

Desarrollo de Negocios es un arte (pasión).

Desarrollo de Negocios es una ciencia (lógica).

## Función Ventas-Operaciones

La interacción de ventas y operaciones en la fase de la propuesta se empalma y es factor crítico para poder entregarle valor agregado al cliente. Esto se representa en la figura I.5.

Figura I.5 Interacción de Ventas y Operaciones en función del ciclo de vida de un proyecto de desarrollo de negocios

Ésta figura cambia dependiendo de la industria en que se encuentren. En el caso del ejemplo mostrado en este libro es una gráfica estándar que se aplica en las industrias de construcción o venta de servicios (ver figura I.5).

# I.8 Chamoun - Prodoehl SPI Index

## Chamoun-Prodoehl SPI Index

SPI es el Índice de productividad del vendedor; depende de los índices de la cantidad de prospectos que trae un vendedor con respecto al resto, de la cantidad de ventas de la región de ese vendedor con respecto al total y de que tanta rentabilidad trae ese vendedor con respecto al resto.

Formulación empírica para la medición de la productividad del vendedor de lo invisible:

$$spi = 1/((rs/rt)*(cops/copt)*(ls/lt))$$

$rs/rt$ = realización (índice de ventas de la región del vendedor / ventas de la región total)

$cops/copt$ = efectividad (índice de rentabilidad del vendedor/ rentabilidad de todos los vendedores)

$ls/lt$ = momento (índice de prospectos del vendedor / prospectos de todos los vendedores)

Si spi tiende a 1 = zona heroica

Si spi tiende a infinito = zona peligrosa

Este Índice de Productividad del vendedor es sólo un ejemplo de cómo es posible medir a los vendedores en la venta de servicios de ingeniería. Se puede adaptar a las diferentes industrias o giros de negocio (ver Figura I.6).

# I.9 Tipo de vendedores CHAMOUN®

Existen 4 tipos de vendedores:

1. Vendedor mente en blanco  (MB)

2. Simple vendedor o despacha pedidos  (SV)

3. Desarrollador de negocios potencial (DDNP)

4. Desarrollador de negocios ideal (DDNI)

Este modelo tiene como propósito responder las siguientes preguntas: ¿Dónde se encuentran sus vendedores?,¿Dónde quiere que se encuentren?, ¿Con qué clientes vale la pena ser MB, SV, DDNP o DDNI?, ¿Cuál es el Vendedor Ideal?

## Diferencia entre los cuatro tipos, verdades generales
(ver Figura I.7)

**MB** = MENTE EN BLANCO

- No tiene objetivos claros
- No sabe qué está vendiendo, ni por qué
- No sabe quienes son sus clientes potenciales
- No tiene mucha seguridad de sí mismo
- Está en ventas porque cree que es un trabajo fácil (por error)
- Va con la corriente, hasta que la misma corriente lo desaparece
- Puede ser muy relacionador y amistoso pero no estratégico
- Es creativo pero no tiene iniciativa
- No se le ocurren las ideas hasta que pasan los hechos
- Definitivamente no concreta acciones ni confirma acuerdos
- No reconoce sus errores

**SV** = SIMPLE VENDEDOR

- Es un despacha pedidos
- El cliente le compra; él por sí solo, no vende
- Existe una necesidad en el mercado y la satisface su producto o servicio, no su presencia
- No tiene muy claro el concepto de post-venta
- No entiende ni reconoce el servicio a clientes
- Simplemente hace la venta del producto
- Se concentra en el cierre
- No crea oportunidades de la simple venta
- No piensa en el cliente como un cliente a largo plazo
- Solo está enfocado al corto plazo
- Existen muchos de este tipo en el mercado (Farmacias, Hoteles, Restaurantes, etc)

## DDNP = DESARROLLADOR DE NEGOCIOS POTENCIAL

- Es un diamante en bruto (sólo le falta pulir algunas esquinas)
- Conoce las necesidades del cliente
- Conoce sus fortalezas y debilidades
- Conoce a su competencia
- Conoce al mercado
- Está preparado cuando visita a un cliente
- Tiene un plan de acción
- Conoce, practica y genera estrategias
- No sabe cerrar
- A pesar de tener un objetivo, no lo tiene tan claro
- Se desvía del objetivo de la visita con el cliente
- Crea castillos en el aire
- Los vende pero no los concreta
- Se pierde en los detalles (razón por la que no concreta)
- Usa su criterio

## DDNI = DESARROLLADOR DE NEGOCIOS IDEAL

- Conoce a su cliente en detalle (necesidades)
- Conoce a su competencia y sus estrategias
- Tiene la sensibilidad de saber cuándo el cliente está a punto del cierre
- Es efectivo en las visitas con sus clientes
- Es muy efectivo al implementar su plan de negocios
- Es detallista, lo que implica que cierra exitosamente
- No cede tan rápidamente
- No cede en grandes cantidades
- Sabe que cuando cede, debe de obtener a cambio
- Busca constantemente al cliente con soluciones creativas
- Resuelve problemas
- Le da seguimiento a sus clientes
- Es un convencido del servicio post- venta
- Los clientes le compran no sólo por sus productos o servicios si no por su persona y servicio al cliente
- Usa su criterio para resolver las necesidades del cliente

Figura I.6 Índice de Productividad del Vendedor : Chamoun - Prodoehl - SPI Index

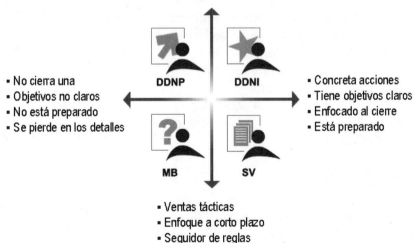

Figura I.7 Modelo de los cuatro estilos de vendedores de acuerdo a CHAMOUN ®

## EJERCICIO

 El objetivo de este ejercicio es determinar el tipo de vendedor en cierta situación. Reconociendo este tipo de vendedor, se puede reflexionar si es el tipo adecuado y así tomar las acciones adecuadas.

### PASO I

Piense en una oportunidad de ventas que está persiguiendo y quiere llevar a un cierre exitoso, marque en le recuadro correspondiente a cada aseveración si está usted de acuerdo o no con lo que dice.

Sume todos los cuadros que marcó de cada grupo de enunciados.

### Enunciados I

- Conoce a los tomadores de decisión ☐
- Conoce fortalezas y debilidades de competencia ☐
- Es importante la relación de su cliente (largo plazo) ☐
- Es metodológico, ordenado(preguntas de Proceso) ☐
- Entiende y lleva a cabo (servicio Post- Venta) ☐
- Cierra negocios constantemente ☐
- Conoce sus debilidades y fortalezas ☐
- Tiene un plan de negocios ☐
- Practica una metodología de ventas ☐
- Conoce las necesidades de su cliente ☐
[ I ]  RESULTADO    ——

### Enunciados II

- No concreta acciones en la primera visita ☐
- No llega a acuerdos con su cliente ☐
- No cede fácilmente ☐
- No hace concesiones rápidas ☐

- No hace grandes concesiones ☐
- No está definido su objetivo de la visita con el cliente ☐
- Pierde Proyectos por falta de concentración en detalles ☐
- Falta de preparación en su visita al cliente ☐
- No cierra consistentemente sus ventas ☐
- Va a la visita de su cliente sin saber a qué va ☐

[ II ]  RESULTADO ___

**Enunciados III**

- No tiene a sus clientes por categoría (Tipo A, B, C) ☐
- No tiene un plan de VENTAS ☐
- No tiene estrategias escritas ☐
- Le interesa solo vender vs. Desarrollar relación ☐
- No conoce o practica el servicio Post- Venta ☐
- Simplemente despacha sus pedidos ☐
- El cliente le compra sin esfuerzo de venta ☐
- Existe necesidad de sus servicios ☐
- No se cuelga en preguntas del cliente ☐
- Su enfoque solo es el corto plazo ☐

[ III ]  RESULTADO ___

**Enunciados IV**

- Es Directo al punto ☐
- Concreta acciones ☐
- Es detallista ☐
- Tiene claros objetivos ☐
- Encasilla al cliente constantemente ☐
- Cede muy poco y gradualmente solo al cierre ☐
- Resuelve el problema en el instante ☐
- Se prepara antes de la visita al cliente ☐
- El cliente sabe a lo que va a su cita ☐
- Rápidamente se da cuenta del motivo de compra ☐

[ IV ]  RESULTADO ___

## PASO II

Sume todos los espacios que llenó anteriormente y márquelos al final donde se indica RESULTADO

Localice en la figura I.8 el número resultado correspondiente a cada grupo identificado con número romano (I, II, III, IV) y señálelo con un círculo (Paso A). Finalmente trace líneas horizontales y verticales atravesando cada uno de los números circulados de manera que se forme un cuadrado (Paso B).

Para mantener clientes a largo plazo y obtener mejores negocios o ventas lo mejor es ser un Desarrollador de Negocios ideal con nuestros clientes, pero existen ocasiones donde solo siendo un simple vendedor es suficiente.

El vendedor ideal es aquel que mantiene una misma postura con todos sus clientes, denotando consistencia, sin embargo el vendedor eficiente es aquel que sabe y conoce cuál es la mejor relación o cuál es el mejor tipo de vendedor que se requiere para la oportunidad específica.

El tipo de vendedor (desarrollador de negocios ideal) es un consejero de confianza de sus clientes y requiere mucho esfuerzo y trabajo para mantener este tipo.

El simple vendedor requiere del mínimo esfuerzo necesario para llegar a hacer la venta y no se preocupa por la relación con su cliente a largo plazo.

Otra herramienta para la observación del desempeño de los vendedores en el campo de acción está en el apéndice de este libro bajo el título de: **Cuestionario de observación de proceso y metodología de ventas CHAMOUN**; ésta puede ser modificada y hecha a la medida de las necesidades de su empresa.

**Ejemplo de localización de tipo de vendedor CHAMOUN ®**

Supongamos que sus resultados fueron los siguientes:

Enunciado I = 9
Enunciado II = 7
Enunciado III = 5
Enunciado IV = 5

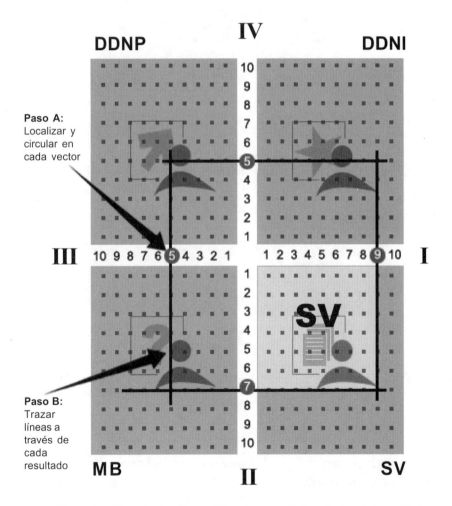

Figura I.7 Ejemplo de cómo utilizar los resultados de la página anterior

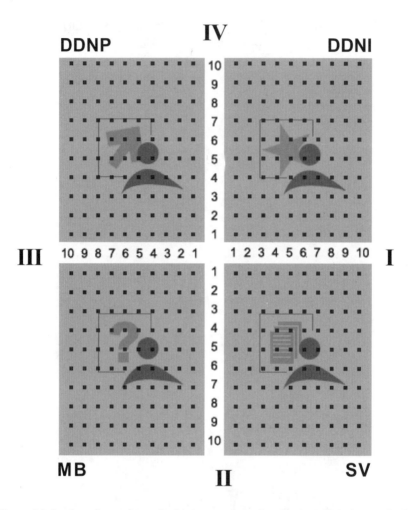

Figura I.8 Aquí grafique el resultado de su encuesta anterior. Esta herramienta es marca registrada por el Dr. Habib Chamoun, se prohíbe su reproducción parcial o total sin autorización expresa del autor.

**"El que trabaja en mármol y encuentra la forma de su propia alma en la piedra, es más noble que el que labra la tierra"**
**Khalil Gibrán**

# CAPÍTULO 2

# Conceptos Básicos de

# Planeación Estratégica

# (Teoría General)

*"Es un error ver en demasía hacia el futuro. Solamente un eslabón a la vez en la*
*cadena del destino se puede llevar a cabo simultáneamente"*
Sir Winston Churchill

Todo negocio, para crecer o posicionarse en nuevos mercados, o posicionar nuevos servicios y productos, requiere de un análisis detallado de su realidad: ¿Dónde está? ¿Porqué existe? ¿Hacia dónde va?

Por lo tanto, antes de empezar las fases de Desarrollo de Negocios debemos de cuestionarnos ¿Cuál es la razón de la existencia de nuestro negocio? o de otra manera más directa, ¿Qué necesidad existe en el mercado que debemos satisfacer?

Ya desde tiempos remotos, aproximadamente dos mil años A. C., un militar chino (Sun-Tzu) identificó interrogantes importantes que deben hacerse antes de comprometerse a alguna guerra. Estas observaciones adaptan al mundo de los negocios actual, que se interpreta como una competencia en la que deben superar diversos adversarios.

*Estrategias del "Arte de Guerra" de Sun-Tzu*

- Conócete, conoce tu enemigo y no temerás 100 batallas de guerra.
- Conoce sólo tu persona y no tu enemigo, y por cada victoria podrá obtener una derrota.
- No conozcas ni a tu persona ni a tu enemigo y perderás cada guerra.
- Tus fortalezas eventualmente se convertirán en tus debilidades.
- La clave de la victoria no está en defenderte de tu enemigo, pero sí de su estrategia. Ahí yace su vulnerabilidad.

Para facilitar este proceso, veremos los principios básicos y herramientas de Planeación Estratégica aplicada a los negocios (ver Figura II.1).

El objetivo de este capítulo es el de dar conocimientos básicos del proceso general de la Planeación Estratégica de Negocios para entender su utilidad en el momento en el que se está desarrollando un proceso de ventas y negociación.

---

**Este capítulo contiene los siguientes temas:**

**II.1 Introducción a la planeación estratégica**
**II.2 Planeación estratégica y plan estratégico**
**II.3 Análisis interno / externo**
**II.4 Análisis de "atractividad" de Michael Porter**
**II.5 Análisis del competidor**
**II.6 Teoría de estrategias**

---

## Proceso de Planeación Estratégica

El siguiente diagrama muestra el proceso general de la Planeación Estratégica de Negocios:

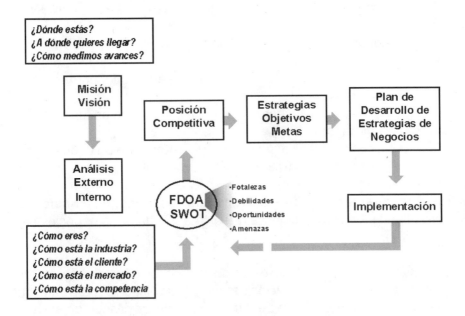

Figura II.1 Flujo del Proceso de Planeación Estratégica

# II.1 Introducción a la planeación estratégica

La teoría o metodología general de la planeación estratégica, debe ayudarnos a responder las siguientes preguntas:

¿Dónde estamos?
¿Hacia donde queremos llegar?
¿Cómo medimos avance?
¿Cómo llegaremos ahí?
¿Cómo le daremos seguimiento al avance?

> **La Administración Estratégica es el proceso de posicionar una organización para un futuro próspero. Puede no ser secuencial, pero existen fuertes interrelaciones entre los componentes claves (ver Figura II.2 y Figura II.4).**

## Criterios importantes para la Planeación Estratégica

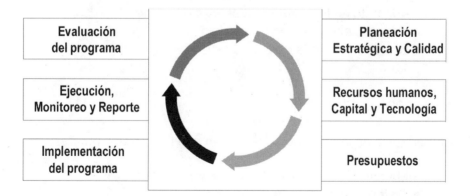

Figura II.2 Proceso de la Administración Estratégica

La Planeación Estratégica es un proceso continuo de evaluación sistemática del negocio, el cual tiene las siguientes características:

- Define objetivos a largo plazo
- Identifica las metas
- Desarrolla estrategias para alcanzar los objetivos y metas distribuyendo los recursos para las mismas
- Es requerida
- No es el proceso más fácil
- Se facilita con el tiempo
- Planeación estratégica es sentido común
- Visionario pero realista
- Anticipa futuro deseado y alcanzable
- Es proactiva
- Es un proceso que ayuda a llegar a determinar estrategias que van a lograr cambiar su negocio

*Planear para el cambio*

Planear para el cambio en ambientes crecientemente complejos es:

- Una constante = Noción de cambio
- Aumento en la demanda de servicios
- Mayores expectativas de servicio
- Disminución de las bases de recursos

*¿Por qué Planear?*

La importancia de la planeación radica en que la empresa puede:

- Marcar direcciones para la compañía
- Distribuir recursos dentro del grupo
- Examinar las alternativas de los cursos de acción
- Incrementar las probabilidades de éxito.

*¿Por qué Planeación Estratégica?*

La importancia de la Planeación Estratégica radica en los siguientes puntos:

- Administración enfocada en resultados

  - ✓ Proceso de diagnósticos
  - ✓ Fijación de objetivos
  - ✓ Creación de Estrategias
  - ✓ Provee herramientas para institucionalizar a todos niveles el mejoramiento continuo

- Orientación al futuro

  - ✓ Guía y forma metodológica
  - ✓ ¿En qué se convertirá la empresa? ¿Qué hace? ¿Por qué lo hace?

- Adaptación

  - ✓ Revisiones regulares, validación plan, fijar metas de desempeño, hacer ajustes necesarios, flexibilidad

- Soporte a clientes

  - ✓ ¿Cuáles son las necesidades del cliente?
  - ✓ ¿Qué puede hacer su organización para satisfacer las expectativas del cliente?

- Promueve la comunicación

  - ✓ Facilita la comunicación no sólo de los empleados sino también entre la dirección y los diferentes niveles
  - ✓ Promueve toma de decisiones ordenadamente e implementa exitosamente las metas y objetivos

## Si fallas en planear, planeas para fallar

## Para hacer Exitoso un proceso de planeación se requiere:

- Compromiso con el plan de altos ejecutivos y empleados
- Constante atención a los objetivos y metas
- Participación de todos los miembros del equipo
- Flexibilidad
- Definición clara de funciones y responsabilidades
- Estandarizar y producir metas y propósitos comunes entre todos los miembros de la organización
- Tener conocimiento del entorno de la empresa
- Tener sensibilidad política
- Ser realista de los objetivos, metas, recursos y productos dentro del plan
- Tomar en cuenta los aspectos de personal, condiciones fiscales y tendencias de presupuestos
- Tener método o estrategia para resolución de conflictos entre las partes
- Dirigir que decisiones se tienen que tomar de asignación de recursos (haciendo mucho con menos)
- Ser continuo y no estático
- Revisar regularmente el proceso y el plan

Para lograr que nuestro Proceso de Planeación sea Exitoso debemos comenzar por responder a las siguientes preguntas:

- ¿Dónde estamos en este momento?
- ¿Hacia donde queremos ir?
- ¿Cómo medimos progreso?
- ¿Cómo llegaremos ahí?
- ¿Cómo le damos seguimiento al progreso?

Además el éxito de la planeación estratégica requiere: Visión, Compromiso, dedicación, soporte, entrenamiento continuo y recursos (t, $, p)

**Las personas de la empresa que participan dentro del proceso de Planeación son:**

- Director
- Equipo administrativo
- Planeador estratégico
- Administradores de nivel medio, de programa y supervisores
- Equipo de administradores financiero
- Administradores de Recursos Humanos
- Administradores de información tecnológica
- Coordinador de calidad
- Empleados de línea

La planeación estratégica ayuda a definir la situación actual de la empresa, evaluar su medio ambiente (entorno), definir productos y servicios así como los clientes y socios claves. Se empieza este proceso haciendo un análisis y evaluación de las condiciones internas, los datos externos y los factores que afectan a la organización de la empresa.

El siguiente paso es la identificación de los clientes por medio de un análisis formal de quiénes son los usuarios directos o indirectos de los servicios o productos de la empresa, y quiénes están siendo afectados indirectamente por las acciones de la empresa.

Sobre la base del análisis interno, externo y la identificación del cliente la compañía está lista para definir su misión, visión, principios, metas y objetivos, los cuales son el motor y brújula de la compañía.

| Concepto | Definición  (ver Figura II.3) |
|---|---|
| Misión | Breve y comprensible declaración del propósito de la empresa. |
| Visión | Imagen conceptual del futuro deseado para la empresa. |
| Principios | Valores y filosofía central que describe la conducta de la empresa en el desempeño de su misión. |
| Meta | Los resultados finales deseados generalmente después de dos a tres años. |

Objetivos        Pasos mensurables y específicos para cumplir las metas.

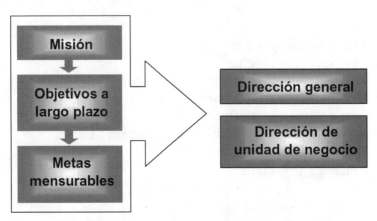

Figura II.3 Principios Básicos de Planeación Estratégica

*¿Cómo medimos avances?*

La medición del desempeño se realiza basándose en el cumplimiento de las metas y objetivos y se utiliza para asegurar compromisos y mediciones de resultados.

Las herramientas de planeación estratégica ayudan a la empresa a:

- Resolver cómo ir de donde está a donde quiere llegar
- Resolver que recursos requerirá para implementar el plan
- Plan de Acción

Plan de Acción es la descripción en detalle de los pasos y estrategias requeridas para implementar el plan estratégico

Para llevar a cabo las estrategias, cumplir con los objetivos y marcar prioridades hay que realizar una asignación y determinación de los recursos y los materiales necesarios para este fin.

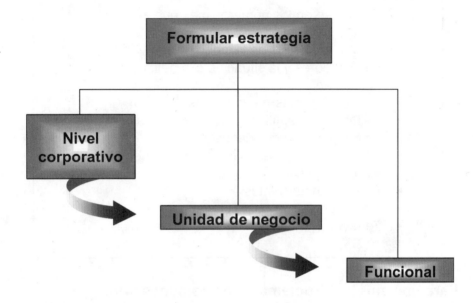

Figura II.4 Las estrategias se establecen por diferente nivel organizacional de la empresa, unidad de negocio o por su nivel de funcionalidad.

*¿Cómo le damos seguimiento al avance?*

Para dar seguimiento a los avances del plan, se establece un **Sistema Monitor** de la implementación de objetivos y metas para periódicamente evaluar ¿Dónde estamos ahora? También elaborar un sistemas de rastreo, medir los avances, monitorear el progreso, archivar información de administración y mantener los objetivos en mente y actualizarlos.

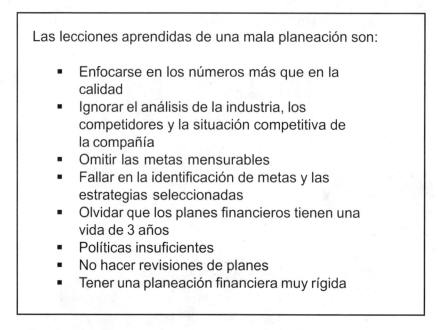

Las lecciones aprendidas de una mala planeación son:

- Enfocarse en los números más que en la calidad
- Ignorar el análisis de la industria, los competidores y la situación competitiva de la compañía
- Omitir las metas mensurables
- Fallar en la identificación de metas y las estrategias seleccionadas
- Olvidar que los planes financieros tienen una vida de 3 años
- Políticas insuficientes
- No hacer revisiones de planes
- Tener una planeación financiera muy rígida

## Para prevenir los problemas más comunes durante la Planeación, puede auxiliarse de:

A) Técnicas analíticas y herramientas
B) Un plan financiero que debe cubrir un periodo de tres años solamente
C) La revisión periódica del proceso
D) Políticas y lineamientos claros y definidos
E) La instalación de un sistema de planeación financiera
F) La especificación de las metas junto con los objetivos
G) Ligar todas las estrategias para cumplir las metas

En pocas palabras, la Planeación Estratégica es una Inversión a largo plazo cuyos frutos se incrementan con el tiempo ¡No es magia!

# II.2 Planeación estratégica

La Planeación Estratégica nos ayuda a preparar a nuestra empresa a soportar los cambios constantes del medio ambiente. El plan estratégico de la empresa ayuda a definir las diferentes unidades que debemos de tener y como cada una va a operar.

### Unidades Estratégicas de Negocio (UEN)

Las Unidades Estratégicas de Negocio (UEN) tienen las siguientes características:

- Forman parte del Grupo compuesta por compañías subsidiarias
- Cada UEN debe preparar un plan por separado
- Cada subsidiaria debe coordinar los planes de sus unidades de negocios y presentar un plan consolidado

Ejemplo: ver Figura II.5

Figura II.5 Unidades estratégicas de negocios, negocios independientes

## Misión

La Misión tiene las siguientes características:

- Breve y comprensible declaración del propósito de la empresa
- Mencionar claramente en que negocios estamos
- Suficientemente amplia para que toda la gente de organización vea cómo contribuye
- Breve y comprensible declaración del propósito de la empresa
- Mencionar claramente en que negocios estamos

*Nota importante:* Es necesario escribir la misión, tomando en cuenta:

- ✔ ¿Quiénes somos?
- ✔ ¿Qué hacemos?
- ✔ ¿Para quién lo hacemos?
- ✔ ¿Por qué lo hacemos?

## Ejemplos de Misión:

Wal-Mart        Dar al individuo ordinario la oportunidad de comprar las mismas cosas que la gente rica.

Hewlett-Packard    Hacer contribuciones técnicas para el avance y bienestar de la humanidad

## *Una Buena Misión*

Con la finalidad de que la Misión sea buena, deberemos de tomar en cuenta las siguientes características:
- Identificar el propósito general, la ¨razón de ser¨ de la empresa
- Identificar las necesidades básicas que la empresa resolverá
- Identificar clientes internos y externos

Ayudar a identificar:

- ✔ Expectativas de clientes
- ✔ Servicios y productos que satisfagan la necesidad de los clientes

## Definición de la Misión

Para realizar la definición de la Misión, es necesario realizar los siguientes pasos:

| Paso | Acción |
|------|--------|
| 1. Identificar el propósito original de la empresa | ❑ ¿Cuál es la razón de la existencia de la empresa? |
| 2. Reflejar la base de clientes en el escrito | ❑ ¿Qué problemas deben de ser resueltos por la empresa? |
| 3. Identificar necesidades actuales | ❑ ¿Qué servicios y productos debemos ofrecer? |
| 4. Revisar la misión existente y actualizar de acuerdo a las preguntas anteriores | ❑ Utilizar la identificación de clientes del análisis FDOA (SWOT) |
| | ❑ ¿Cuáles son las necesidades que tienen que ser satisfechas? |
| | ❑ ¿Ha cambiado la misión? |

## Visión

Las características de la Visión son:

- ▪ Imagen conceptual del futuro deseado para la empresa
- ▪ Compartir la visión entre ejecutivos y empleados asegura compromiso de la alta dirección
- ▪ Planeación estratégica ofrece la oportunidad para que todos en la compañía puedan visualizar a la empresa en el futuro

## Ejemplos de Visión

Nike (en 1960)          Aplastar a ADIDAS

Boing (en 1950)          Convertirse en el jugador dominante en la aviación comercial e introducir al mundo en la era del "jet"

Rockwell (en 1950)  Transformar esta compañía de ser un contratista de defensa, en la mejor compañía diversificada de alta tecnología en el mundo

### *Una Buena Visión*

Con la finalidad de reconocer que la Visión es buena, deberemos de tomar en cuenta las siguientes características:

- Inspira y Reta
- Crea imagen ideal de la empresa en el futuro
- Elemento crítico para el cambio
- Representa el propósito global y continuo de la organización
- Da fortaleza y energía a la empresa
- Estándar último sobre el cual se compara el avance de la organización
- Su estructura no es importante
- El efecto que tiene sobre el valor y comportamiento de los empleados es muy importante

Las características que hay que tomar en cuenta para el desarrollo de la Visión dentro de la empresa son:

- Ser breve
- Motivar la inspiración
- Inspirar reto
- Descriptiva de lo ideal
- Que mueva a los empleados, clientes y socios
- Descriptiva de los futuros servicios de la empresa
- Idealista
- Duradera

Debe incluir:

- ✓ ¿Qué quiere la empresa? ¿Cuáles son sus aspiraciones?
- ✓ ¿Cómo quiere ser reconocida la empresa por sus clientes, empleados, comunidad?
- ✓ ¿Cómo quiere la empresa mejorar la calidad de vida de los que utilizan sus servicios y productos?

> La visión integrada con la misión y principios forma la identidad de la compañía, sin visión no hay inspiración.
>
> Una misión sin principios es como decir que el fin justifica los medios

## Principios

Las características que definen a los Principios son:

- Valores y filosofía central que describe la conducta de la empresa en el desempeño de su misión
- Comúnmente asociados con la cultura de calidad
- Sirven para motivar a los empleados
- Sirve como criterio de toma de decisiones a diferentes niveles de la empresa
- Expresa valores en común que pueden ser heredados por toda la organización
- Son instrumentos poderosos que pueden llegar a cambiar la cultura de la empresa
- Expresan creencias básicas de las  condiciones en las que la gente trabaja mejor
- Dirige a los líderes a establecer estructuras, sistemas y las habilidades necesarias dentro de la empresa para hacer de la visión una realidad

Ejemplos de principios de la empresa:

- ✔ Hacerlo bien a la primera
- ✔ Hacerlo bien a la primera
- ✔ Satisfacción a clientes
- ✔ Mejora continua

La mejor práctica para expresar los principios en cuanto a:

La Gente :          La manera como se les trata a los clientes y empleados

El Proceso:        La manera como la organización es administrada, las decisiones tomadas y los servicios y productos suministrados

El Desempeño:     Las expectativas de las responsabilidades de la organización, la calidad de los servicios y productos

## Las Metas

Las características que nos van a permitir definir las metas son las siguientes:

- Son los resultados finales deseados generalmente después de dos a tres años
- Son establecidos por la empresa
- Representan la dirección estratégica de la empresa
- Representan problemas inmediatos y serios de alta prioridad a resolver (puntos estratégicos)
- Resultado de:

  - ✔ Análisis interno
  - ✔ Fuerzas externas

## Criterio: Evaluación de Metas

Las metas deben de:

- Estar en armonía y clarificar la Misión, Visión y Principios
- Considerar las prioridades y los resultados del análisis interno y externo
- Mantenerse sin cambio a menos que cambie el entorno bajo el que fueron creadas
- Representar los resultados deseados
- Representar una clara dirección de la organización pero sin eventos específicos o estrategias
- Ser retadoras pero realistas y alcanzables

## Proceso para la evaluación de Metas

Los pasos a seguir para evaluar los pasos de la empresa son:

| Paso | ❑  Acción |
|------|-----------|
| 1. Establecer el proceso | ❑  Identificar participantes<br>❑  Definir terminología<br>❑  Establecer agenda<br>❑  Clarificar expectativas |
| 2. Revisar datos del análisis interno y externo | ❑  Distribuir y revisar información<br>❑  Debilidades y Fortalezas<br>❑  Oportunidades y Amenazas<br>❑  Análisis del Cliente<br>❑  Incorporar todos los puntos estratégicos |
| 3. Incorporar retro-alimentación de los clientes y socios | ❑  Identificar necesidades de los clientes y socios<br>❑  Analizar las quejas de los clientes y socios para mejora continua y mayor entendimiento de necesidades<br>❑  Establecer metas de mejora<br>❑  Monitorear, medir y comparar *("benchmark")* el proceso como está en la actualidad "actual"<br>❑  Fijar metas para el proceso "futuro"<br>❑  Implementar mejoras<br>❑  Obtener y medir satisfacción del cliente con los productos y servicios mejorados |

| 4. Analizar espacios de oportunidad de mejora en los servicios | <ul><li>Este análisis compara la situación actual con la situación deseada</li><li>Revisión de todos los problemas identificados en el análisis interno y externo</li><li>Determinar qué sería necesario para eliminar quejas y espacios de oportunidad</li><li>Pregúntese</li><li>¿Cómo el estado deseado de la empresa se compara con el estado actual?</li><li>¿Los productos o servicios principales están satisfaciendo o excediendo las necesidades primarias y expectativas del cliente?</li><li>Si no, ¿ Se podrían redefinir los productos y servicios, sustituir o eliminar?</li><li>¿Cuál es el estado de las metas actuales y de las mediciones de desempeño y qué capacidad tenemos para cumplir los nuevos?</li><li>¿El análisis de espacio de oportunidades ha identificado la necesidad de planear para nuevos servicios y productos?</li><li>¿Cuáles son las ventajas y desventajas de considerar nuevos productos o servicios?</li><li>Los servicios y productos planeados ¿competirán con los recursos de los actuales?</li></ul> |
|---|---|
| 5. Fijar dirección para alcanzar objetivos deseados | <ul><li>Basado en los resultados del análisis interno / externo determine si la empresa va en la dirección correcta o si pequeños o grandes cambios son necesarios.</li><li>Pregúntese, si la compañía sigue la misma dirección:</li><li>¿Los retos identificados se resolverán?</li><li>¿Las fortalezas identificadas serán las mismas?</li><li>¿Las necesidades de los clientes externos e internos serán satisfechas?</li><li>¿Mejorará el servicio al cliente?</li></ul> |
| 6. Escribir y refinar las metas | <ul><li>Revisar las metas desarrolladas previamente y actualizar si es apropiado</li><li>Basado en los puntos anteriores desarrollar propuesta de metas para el ciclo de planeación</li><li>Determinar si las metas propuestas siguen el criterio establecido</li><li>Si no es obvio quien se beneficia de las metas, asegurar escribiéndolo claramente</li><li>Determinar si las metas son factibles</li><li>Llegar a un acuerdo entre todos los participantes de la empresa en la fijación de metas y compromisos</li></ul> |
| 7. Seleccionar las metas clave | <ul><li>Seleccionar las metas clave que representan las actividades con mayor relevancia</li></ul> |

# Fijar metas en equipo, asegura compromiso

## Objetivos

Son los pasos necesarios para llegar a las metas, además son:

- Mensurables
- Específicos
- Cuantificables
- Logros intermedios

### *Un buen objetivo*

Con la finalidad de que los objetivos sean buenos, deberemos de tomar en cuenta las siguientes características:

- Específicos: son los caminos en detalle para llegar a logros deseados
- Mesurables: determinar cuando se lograrán, quien o quienes son los responsables y establecen metodología de medición de cumplimiento.
- Agresivo pero alcanzable: presentan retos pero no imposibles y deben ser consistentes con recursos disponibles.
- Orientado a resultados: deben especificar un resultado.
- Fijar tiempo: especifican cuando debe de lograrse el objetivo, debe ser a corto plazo y estar integrados al presupuesto

## El mejor objetivo es real, posible y optimiza los recursos

## Procedimiento para formular objetivos

Los pasos a seguir para la formulación de los objetivos son:

| Paso | Acción |
|---|---|
| 1. Revisar la misión y las metas | ❑ ¿Se ha establecido una misión clara de la empresa?<br>❑ ¿Se han identificado los clientes?<br>❑ ¿Se entiende la intención de las metas? |
| 2. Decidir qué resultados se desean | ❑ Decidir qué tanto podemos lograr en el año en curso basado en la disponibilidad de recursos:<br>❑ Humanos<br>❑ Tecnológicos<br>❑ Financieros<br>❑ ¿Qué partes administrables específicas deben de lograrse?<br>❑ ¿En cada meta existirán varios resultados, clientes o servicios implícitos?<br>❑ ¿Qué variables o factores influirán los resultados? |
| 3. Fijar fecha de cumplimiento de resultados | ❑ ¿Cuándo será un período de tiempo razonable para cumplir con los resultados esperados?<br>❑ ¿Que tan crítica es la acción inmediata?<br>❑ ¿Existen oportunidades si actuamos ahora en lugar de mañana? |
| 4. Asegurar compromiso, responsabilidad y propiedad | ❑ Revisar medidas de desempeño establecidas para cumplir las metas<br>❑ Identificar medidas de desempeño para cumplir los objetivos<br>❑ Determinar parámetros de medición para cada objetivo<br>❑ Evaluar cómo se medirán los avances<br>❑ Organizarse para obtener la información adecuada |

# II.3 Análisis interno / externo

El análisis interno y externo de su empresa le dará una radiografía completa tanto de su organización como de los factores externos que afectan a su negocio y de los que quizás no tenga control pero si pueda planear que estrategias considerar como plan de contingencia.

## Análisis: FDOA o SWOT

El análisis interno y externo dará como resultado el análisis de Fuerzas, Debilidades, Oportunidades y Riesgos  (FDOA, en inglés SWOT ) de la compañía. El análisis interno de fortalezas y debilidades es una radiografía de la empresa, es subjetivo y presenta las opiniones de los gerentes, directivos, clientes y proveedores en el pasado, presente y futuro de la ogranización y además:

- Identifica fortalezas y debilidades
- Evalúa capacidad de respuesta a:
  - ✓ Situaciones
  - ✓ Problemas
  - ✓ Oportunidades
- Revela situación actual
  - ✓ Valores
  - ✓ Paradigmas (creencias y patrones)
- Evaluación de la organización:
  - ✓ Posición
  - ✓ Desempeño
  - ✓ Problemas
  - ✓ Potencial

## *¿Cómo conducir el análisis interno o el inventario de situaciones?*

Para conducir el análisis interno o el inventario de situaciones, es necesario realizar los siguientes pasos:

| | |
|---|---|
| 1. ¿En dónde ha estado la empresa? | ❑ **Responder las siguientes interrogantes:**<br>❑ ¿Se han satisfecho las necesidades de los clientes internos y externos en el pasado?<br>❑ ¿Han sido de excelente calidad los productos y servicios que ofrecemos en el pasado?<br>❑ ¿Qué ha cambiado internamente?<br>❑ ¿Se ha reorganizado la empresa?<br>❑ ¿Ha habido mejoras o se ha mantenido la empresa en el mismo nivel o declinado? ¿Por qué?<br>❑ ¿Cuáles han sido nuestros logros?<br>❑ ¿Qué falta por mejorar? |
| 2. ¿En dónde está ahora la empresa? | ❑ Identificar actividades actuales<br>❑ ¿Se han establecido bases de medición de desempeño?<br>❑ De ser así, ¿Se han alcanzado los niveles esperados de desempeño? ¿Por qué? ¿Por qué no?<br>❑ De no ser así, ¿Qué planes existen de crear una base de medición de desempeño?<br>❑ ¿Qué piensan nuestros clientes de nuestros servicios y productos?<br>❑ ¿Qué tan exitosos somos en cumplir con las necesidades de nuestros clientes?<br>❑ ¿Qué información de "Benchmarking" podemos usar para comparar nuestros servicios y productos con empresas en el mismo ramo líderes en el ámbito mundial?<br>❑ ¿Cómo estamos en comparación con las empresas líderes mundiales con estándares reconocidos?<br>❑ ¿Están integrados los procesos de planeación, calidad con otros esfuerzos de administración? |

| 3. ¿Cuáles son nuestras fortalezas y debilidades? | • ¿Cuál es la capacidad de acción de la empresa?<br>• ¿Qué es una fortaleza de nuestra empresa o ventaja competitiva?<br>• ¿Cómo se pueden obtener fortalezas?<br>• ¿Qué desventajas tenemos? ¿Cómo se pueden sobrellevar?<br>• ¿Cuáles son las barreras que impiden que cumplamos con las necesidades y expectativas del cliente?<br>• ¿Cómo están cambiando las necesidades y expectativas del cliente?<br>• ¿Qué oportunidades de cambio positivas existen?<br>• ¿El plan se adapta al cambio? |
|---|---|

## Análisis Interno: Fortalezas y debilidades

Para llevar a cabo un análisis de las Fortalezas y Debilidades de nuestra compañía básicamente debemos hacer un análisis de las bases de la competencia y un análisis de las habilidades de ejecución las cuales tienen las siguientes características:

- Análisis de las bases de la competencia
  ✓ Ponderación
  ✓ Subjetivo
  ✓ Percepción del cliente
- Análisis de las habilidades de ejecución
  ✓ Ponderación
  ✓ Subjetivo
  ✓ Percepción del cliente
- ¿Cómo se obtiene la información? ¿Cómo se hace?
  ✓ Reportes anuales
  ✓ Reportes de evaluación de calidad
  ✓ Evaluaciones de clientes
  ✓ Evaluaciones internas
  ✓ Mediciones de desempeño
  ✓ Planes interno

## Análisis Externo: Características

Las características que definen el Análisis Externo son las siguientes:
  ‹ Identifica las oportunidades y amenazas del entorno actual

- Anticipa cambios en el entorno futuro
- Análisis de los elementos clave externos o fuerzas en donde la organización funciona

*¿Cómo conducir el análisis externo?*

Para conducir el análisis externo es necesario realizar los siguientes pasos:

| Paso | Acción |
|---|---|
| 1. ¿Cuál es el entorno externo actual? | ❑ ¿Qué elementos del entorno externo actual son relevantes para nuestra organización?<br>❑ ¿Qué elementos son más críticos?<br>❑ ¿Cuáles de los elementos son los que impidan o faciliten a nuestra organización?<br>❑ ¿Cuáles son los puntos críticos o problemas importantes? |
| 2. ¿Qué diferencias encontramos en el entorno futuro? | ❑ ¿Qué fuerzas afectarán o alterarán los elementos clave del entorno?<br>❑ ¿Cree que las tendencias continúen o se pronostican cambios?<br>❑ ¿Cuáles son los escenarios más probables del futuro? |

En el Análisis externo, la información se puede obtener por medio reportes estadísticos INEGI, SECOFI, BANCOMEXT, etc., asociaciones profesionales tales como CNIC, AMIQ, centros de investigación de universidades e Internet.

*Oportunidades y Amenazas*

El análisis externo es el análisis del entorno que rodea a la industria. Definiendo a industria como mi empresa más sus competidores.

Entre otros instrumentos para conducir este tipo de análisis externo se puede considerar aquí el análisis de concentración y madurez de la industria, y el análisis de atractividad de Michael Porter. Como resultado de estos análisis sabremos qué tanta competencia tenemos, cuán madura es nuestra industria y qué tan atractiva es.

Para llevar acabo este tipo de análisis se requiere de mucha información como por ejemplo:

| | |
|---|---|
| Factores Económicos | PIB/GNP o GDP<br>  Crecimiento Regional<br>  Población<br>  Inflación |
| Factores de la Industria | Número de proveedores:<br>  Perfil<br>  Los 5 más fuertes<br>  Consumo, participación de mercado<br>Número de competidores (jugadores):<br>  Perfil<br>  Los 5 más fuertes<br>  Consumo, participación de mercado<br>Número de consumidores (mercado):<br>  Segmentación geográfica<br>  Segmentación demográfica<br>  Segmentación económica<br>  Temporadas (ventas por año) |
| Historia del producto/ industria / tecnología | Cronología de desarrollo<br>Aparición de jugadores:<br>  Segmentación geográfica<br>  Segmentación demográfica<br>  Segmentación económica<br>  Temporadas (ventas por año) |

**"No encuentres la falta, encuentra el remedio"**
**Henry Ford**

# II.4 Análisis de "atractividad"

El modelo de "las cinco fuerzas" del Dr. Michael Porter determinan qué tan atractiva es la industria en la que estamos compitiendo. Este análisis depende de qué tanto poder tengan los proveedores y los clientes sobre nuestra empresa. También depende de la amenaza de nuevos ingresos, la rivalidad entre competidores y la amenaza de productos sustitutos (ver figura II.6). La Industria en términos de "estrategia" es la arena o campo de batalla en la que competiremos con nuestro producto o servicio.

### Análisis de "Atractividad"

Esencialmente, la "atractividad" de la industria nos presenta en perspectiva el grado de rentabilidad que puede llegar a tener nuestro negocio. A través de este análisis, podemos tener una idea aproximada del margen que obtendremos para concluir si efectivamente es atractivo invertir o retirarnos de esta industria, hacer modificaciones al productos o servicio, o definir las estrategias adecuadas.

Porter propone un estudio detallado de todos los involucrados en la arena donde realizamos nuestro negocio, comenzando por nuestros competidores y terminando en las posibles alternativas que podrían poner a nuestro producto en un estado de obsolescencia (ver Figura II.6). Se incluyen también proveedores y clientes, quienes, por diferentes circunstancias, afectan las estructura de costos y precios de nuestra industria, pero sobre todo, afectan la libertad que tenemos en la toma de decisiones para cambiar algún parámetro. En algunos casos la respuesta es obvia, pero en otras, encontramos sorpresas interesantes, que ocasionalmente explican por qué nuestro flujo de efectivo no se ha comportado como lo teníamos considerado.

Figura II.6 Cinco fuerzas de Michael Porter

En este sentido es muy importante entender la industria en la que nuestro negocio existe. Para el análisis de "atractividad", y en general el ejercicio de planeación estratégica, definimos a la industria como todas las empresas que de algún modo satisfacen la misma necesidad que mi propio producto o servicio. Por ejemplo, si mi negocio es el de los refrescos de "cola", deberé considerar no sólo productos similares; deberé considerar las razones por las que el consumidor desea el refresco de cola. Si es el sentimiento de sed, un vaso de agua puede competir con mis productos; si es la búsqueda de un producto de sabor dulce, un caramelo compite igualmente con mi producto. De este modo, la industria puede cambiar en función de la definición de la necesidad que tenemos establecido en el propósito del negocio.

El análisis de "atractividad" requiere un conocimiento profundo del mercado y del entorno, por lo que deben recolectarse los datos que sean necesarios para entender claramente al consumidor, competidores y demás participantes de la industria.

Definiciones de Michael Porter

| | |
|---|---|
| Poder de los Clientes | ❑ Los clientes luchan con la industria para que se mantengan los precios bajos y exista más calidad y más servicios.<br>❑ Un comprador es poderoso si se mantienen las siguientes circunstancias:<br>❑ Si compra grandes volúmenes de mercancía<br>❑ El producto que compra de la industria representa una proporción significativa de los costos del comprador o las compras.<br>❑ Los productos que compra son estándar o con muy poca diferenciaciór<br>❑ Tiene bajas ganancias (ver Figura II.6). |
| Amenaza de Nuevos Ingresos | ❑ ¿Qué tantos nuevos interesados existen en hacer lo que tu empresa hace?<br>❑ ¿Qué tan factible es? (ver Figura II.6). |
| Amenaza de Productos Sustitutos | ❑ Los productos sustitutos limitan la ganancia potencial de una industria.<br>❑ En cuanto más atractiva sea la alternativa de precios ofrecidas por los sustitutos, las ganancias de las industrias son mejores (ver Figura II.6). |
| Poder de los Proveedores | Los proveedores son fuertes sí:<br>❑ La industria es dominada por unas compañías.<br>❑ La industria no es un cliente importante para el proveedor<br>❑ Los productos de los proveedores son diferenciados (ver Figura II.6). |
| Rivalidad entre Competidores | La intensidad depende de:<br>1. Número de competidores<br>2. Crecimiento lento de la industria<br>3. Altos costos<br>4. Falta de diferenciación<br>5. Competidores diversos<br>6. Altas barreras de entrada:<br>1. Economías de Escala<br>2. Diferenciación de Producto<br>3. Requerimientos de capital<br>4. Utilidades esperadas<br>5. Costos<br>6. Acceso a canales de distribución<br>7. Desventajas de la escala de costos<br>8. Política gubernamental (ver Figura II.6) |

Basado en las definiciones de esta sección, hacer el ejercicio de las cinco fuerzas de Michael Porter para determinar qué tan atractivo es su negocio.

| Análisis de Atracción | Factores Característicos |
|---|---|
| Poder de los Clientes | ❑ Concentración<br>❑ Costo del Cambio<br>❑ Importancia<br>❑ Diferenciación<br>❑ Integración |
| Amenaza de Nuevos Ingresos | ❑ Factores característicos<br>❑ Economía de escala<br>❑ Diferenciación de productos<br>❑ Capital<br>❑ Acceso a canales de distribución |
| Amenaza de Productos Sustitutos | ❑ Rentabilidad<br>❑ Ventajas<br>❑ Sustitución |
| Poder de los Proveedores | ❑ Concentración<br>❑ Costo del cambio<br>❑ Importancia<br>❑ Diferenciación<br>❑ Integración |
| Rivalidad entre Competidores | ❑ Crecimiento de la industria<br>❑ Competidores diversos<br>❑ Diferenciación de productos<br>❑ Barreras de salida |
| Cinco fuerzas de Porter | ❑ Rivalidad<br>❑ Productos sustitutos<br>❑ Amenaza de nuevos ingresos<br>❑ Poder de proveedores<br>❑ Poder de los clientes |

# II.5   Análisis del competidor

Conocer la competencia es de vital importancia para definir una estrategia competitiva.

**Análisis del Competidor**

El objetivo de un análisis de este tipo es el de desarrollar un perfil de la naturaleza y éxito de los cambios en las estrategias de los competidores.

Existen cuatro componentes para el análisis del competidor:

- Metas Futuras
- Estrategia actual
- Características
- Capacidades

### *Análisis de la Fuerzas y Debilidades del competidor*

Para hacer un análisis de las Fortalezas y Debilidades de la competencia se deben tomar en cuenta los siguientes factores

- Productos
- Distribución
- Mercadotecnia y Ventas
- Búsqueda e Ingeniería
- Costos
- Fuerza financiera
- Organización
- Otros

## Análisis de las Oportunidades y Amenazas de la competencia

| Fuerzas | Debilidades |
|---|---|
| ❑ Factores que construyen las barreras<br>❑ Factores que permiten bajos costos<br>❑ Recursos y habilidades que permiten movimiento de las barreras y movimiento en grupos estratégicos<br>❑ Otras | ❑ Factores que den poder a los proveedores y clientes<br>❑ Falta de recursos y habilidades<br>❑ Factores que causen altos costos<br>❑ Estrategias débiles en comparación a la competencia |

Para hacer un análisis de las Oportunidades y Amenazas de la competencia se deben tomar en cuenta los siguientes factores:

- Factores Externos
- Nuevas tendencias de empleos
- Nuevas tendencias de contratación
- Fuerte dependencia de materia prima
- Otros

| Oportunidades | Amenazas |
|---|---|
| ❑ Crear un nuevo grupo estratégico<br>❑ Cambiar favorablemente un grupo estratégico | ❑ Riesgos que otras firmas entren a un grupo estratégico<br>❑ Empeorar la situación de productos sustitutos<br>❑ Aumentar el poder de clientes y proveedores |

**Posicionamiento, Lineamientos y Comportamiento:**

Del análisis de madurez de nuestra empresa depende qué estrategias y acciones se tomen. Se citan algunos ejemplos en función de la madurez y concentración de la industria.

| Madurez / industria | Estrategias Genéricas |
|---|---|
| Dominante Embriónica | □ Luchar por participar<br>□ Invertir ritmo superior al mercado<br>□ Probablemente rentable<br>□ Pedir prestado |
| Fuerte Embriónica | □ Tratar de mejorar posición<br>□ Invertir ritmo del mercado<br>□ Probablemente no rentable<br>□ Pide prestado |
| Favorable Embriónica | □ Luchar posición selectivamente<br>□ Invertir selectivamente<br>□ Probablemente no rentable<br>□ Pedir prestado |
| Sostenible Embriónica | □ Mejorar posición selectivamente<br>□ Invertir muy selectivamente<br>□ No rentable<br>□ Pedir prestado |
| Débil Embriónica | □ Retiro<br>□ No rentable<br>□ No genera flujo |
| Dominante en Crecimiento | □ Mantener participación<br>□ Invertir manteniendo crecimiento<br>□ Rentable<br>□ Probablemente genera flujo |
| Fuerte en Crecimiento | □ Tratar de mejorar posición<br>□ Invertir aumenta tasa de crecimiento<br>□ Probablemente rentable<br>□ Pedir prestado |
| Favorable en Crecimiento | □ Esfuerzo selectivo de participación<br>□ Rentabilidad marginal<br>□ Pedir Prestado |
| Sostenible en Crecimiento | □ Encontrar nicho y proteger<br>□ Inversión selectiva<br>□ No rentable<br>□ Pedir prestado o balance de flujo |
| Débil en Crecimiento | □ Encontrar nicho y proteger<br>□ Inversión selectiva<br>□ No rentable<br>□ Pedir prestado o balance de flujo |
| Dominante Madura | □ Crecer con industria<br>□ Re-invertir lo necesario<br>□ Rentable<br>□ Generación de flujo positivo |
| Fuerte Madura | □ Crecer con industria<br>□ Re invertir lo necesario<br>□ Rentable<br>□ Generación de flujo positivo |

| | |
|---|---|
| Favorable Madura | ❑  Buscar nicho<br>❑  Re invertir mínima o selectivamente<br>❑  Rentabilidad moderada<br>❑  Generación de flujo positiva |
| Sostenible Madura | ❑  Explotar nicho o retiro<br>❑  Re inversión mínima<br>❑  Rentabilidad mínima<br>❑  Balance de flujo<br>❑  Explotar nicho o retiro<br>❑  Re inversión mínima<br>❑  Rentabilidad mínima<br>❑  Balance de flujo |
| Débil Madura | ❑  Retiro<br>❑  No rentable<br>❑  No genera flujo |
| Dominante Envejecimiento | ❑  Mantener posición<br>❑  Re invertir lo necesario<br>❑  Rentable<br>❑  Genera flujo positivo |
| Fuerte Envejecimiento | ❑  Mantener posición o cosechar<br>❑  Mínima re inversión<br>❑  Rentable genera flujo positivo |
| Favorable Envejecimiento | ❑  Cosechar o retirarse<br>❑  Mínima inversión<br>❑  Rentabilidad moderada<br>❑  No hay flujo positivo |
| Sostenible Envejecimiento | ❑  Retiro planeado<br>❑  Des invertir<br>❑  Rentabilidad mínima |
| Débil Envejecimiento | ❑  Retiro<br>❑  No rentable<br>❑  No genera flujo |

Basado en la información de su industria hacer el siguiente ejercicio de análisis:

| Industria | □ Concentración<br>□ Madurez<br>□ Atracción |
|---|---|
| Factores Característicos por Industria | □ Barreras de entrada<br>□ Economías de escala<br>□ Curvas de Aprendizaje<br>□ Costos de transporte<br>□ Ventajas en compra<br>□ Tipo de administración<br>□ Regulaciones gubernamentales |
| Matriz de Madurez de la Industria | □ Embriónica<br>□ Crecimiento<br>□ Madurez<br>□ Envejecimiento |
| Factores característicos por industria (f(pib)) | □ Tasa de crecimiento<br>□ Número de participantes<br>□ Línea de Productos<br>□ Tecnología<br>□ Precios<br>□ Demanda |

# II.6 Teoría de estrategias

Las estrategias son generadas más por un proceso de creatividad que por interminables reuniones de análisis de información. Esto no significa que la información y las herramientas de análisis no son necesarias ni útiles, mas bien, que la estrategia adecuada está en función de lo creativo que sea el tomador de decisiones para encontrar la forma de diferenciarse y ganar la competencia. La mejor estrategia es la que es original y funciona en el caso específico en cuestión.

## Teoría de Estrategias

Los factores más importantes para determinar la estrategia son:

- Identificar las fuerzas y debilidades organizacionales
- Determinar fuerzas y riesgos en el ambiente

### *Tipos de Estrategias*

Algunos de los diferentes tipos de estrategias que existen son los siguientes:

| Estrategias | Descripción y/o Características |
|---|---|
| Genéricas | ❑ Liderazgo en Costos: Una posición de bajo costo protege a la firma de las 5 fuerzas competitivas<br>❑ Diferenciación: Diferenciar un producto o servicio hace que la industria lo perciba como único<br>❑ Enfoque: Enfocarse en un grupo particular de clientes, un segmento del producto, o en un mercado geográfico. |
| De competitividad | ❑ Toma acciones defensivas u ofensivas para crear una posición defendible en una industria, para sobresalir exitosamente con las cinco fuerzas competitivas y para redituar la inversión de la firma o negocio.<br>❑ Frontal<br>❑ Flanqueo<br>❑ Fragmentación<br>❑ Defensa<br>❑ Desarrollo |
| De relación | ❑ Neutralizar<br>❑ Apalancar<br>❑ Motivar |
| De posicionamiento | ❑ 1er en el mercado- Líder<br>❑ Seguidor<br>❑ Etc. |
| Varias | ❑ Bancarrota<br>❑ Nicho de mercado específico<br>❑ Exportador<br>❑ Desinvertir<br>❑ Fumigación |

## Revisión a Largo Plazo

Un plan de largo plazo debe incluir:

- Finalidad: Misión, objetivos y metas
- Significado: estrategias
- Recursos
- Planes financieros
- Implementación de planes

## Recursos

Los Recursos son:
- Capital
- Requerimiento de personal y administración

## Planes Financieros

- Ambiente financiero
- Resultados operacionales
- Formatos

## Implementación y Control

Al implementar el plan se debe evaluar continuamente y verificar en el año en curso por el mercado tan cambiante en el que vivimos. Es saludable para la empresa tener una revisión anual dependiendo del tipo de industria.

Figura II.7 Plan de Acción Revisión Anual Necesaria

## *Técnicas Analíticas*

- Analizar la industria como un todo
- Predecir la evolución futura de la industria
- Conocer a los competidores
- Conocer nuestra posición
- Analizar y traducir los resultados  dentro de una estrategia competitiva

## Proceso de formulación estrategia competitiva

El proceso a seguir para la formulación de la Estrategia Competitiva incluye los siguientes pasos:

| Etapa | Descripción | A tomar en cuenta... |
|---|---|---|
| A | ¿Qué es lo que el negocio esta haciendo? | ❏ ¿Cuál es la estrategia implícita o explícita actual?<br>❏ ¿Qué características deben crearse para que la estrategia tenga sentido? |
| B | ¿Qué está pasando en el ambiente? | ❏ Análisis de la Industria<br>❏ Análisis de los competidores<br>❏ Análisis social<br>❏ Fuerzas y debilidades |
| C | ¿Qué es lo que el negocio debería estar haciendo? | ❏ Pruebas de estrategias<br>❏ Alternativas estratégicas factibles<br>❏ Selección de Estrategia |

## Implicaciones en la formulación de Estrategia

Los principios de un análisis estructural dentro de la industria permite ser mucho más concretos y específicos acerca de las fuerzas y debilidades del negocio, las diferencias con la competencia, las oportunidades y los riesgos que existen.

## Benchmarking como herramienta de análisis estratégico

La comparación de las características de nuestra organización con otras similares es útil a la hora de determinar que factores son los más importantes para el éxito. El proceso general de la técnica de Benchmarking considera entre otros, estos aspectos:

- Establece objetivos de desempeño
- Estudio de compañías clase mundial de industria similares con altos niveles de desempeño
- Determina por qué son los mejores
- Aplicar lo aprendido

## ¿Cómo identificar a las compañías para el Benchmarking?

- Estudios previos
- Literatura de asociaciones profesionales
- Premios de organizaciones profesionales
- Internet
- Revistas

Para realizar el proceso de Benchmarking, es necesario realizar los siguientes pasos:

| Paso | Acción |
|---|---|
| 1. Planeación | ❑ Establecer alcance del estudio<br>❑ Formar un grupo y obtener recursos<br>❑ Documentar y analizar el proceso que quieres estudiar<br>❑ Desarrollar métodos preliminares para la obtención de información |
| 2. Recolección de datos | ❑ Utilizar la primera ronda de información obtenida para seleccionar a quién utilizar como empresa de Benchmarking<br>❑ Planear una nueva recolección de datos y estrategia<br>❑ Completar una segunda ronda de colección de datos |
| 3. Análisis | ❑ Desarrollar una lista de procesos a analizar<br>❑ Decidir los factores que se van a estudiar<br>❑ Crear el diagrama de flujo ¨situación actual¨<br>❑ Después de comparar el diagrama actual con el de la empresa del Benchmarking la diferencia es el área de oportunidad<br>❑ Crear el diagrama de flujo ¨situación futura¨ |
| 4. Fijación de objetivos de desempeño | ❑ Es un arte<br>❑ Los objetivos deben de:<br>— Ser desarrollados por los responsables directos<br>— Incluir retroalimentación de los clientes<br>— Incluir valores anuales<br>— Representar expectativas reales<br>— Ajustarse sobre la base de experiencia y expectativas<br>— Mejorar la productividad |

**"Si tu saber no te enseña el valor de las cosas y no te libera de la esclavitud a la materia, jamás te acercarás al trono de la verdad"**
**Khalil Gibrán**

# CAPÍTULO 3

# La Organización para el Desarrollo

# de Negocios

*"Los más sabios son quienes tienen más autoridad"*
Platón

La organización para desarrollo de negocios puede ser tan grande como un corporativo y tan pequeña como un individuo. El tamaño y la infraestructura están en función de la facturación, rentabilidad, de la industria de nuestros clientes, del mercado, de nuestros servicios y productos. Independiente del tamaño lo importante es tener las funciones de los cuatro pilares de la organización que adelante se mencionan.

---

**Este capítulo contiene los siguientes temas:**

III.1 Concepto Desarrollador de Negocios
III.2 Responsabilidades del Desarrollador de Negocios
III.3 Funciones del Desarrollador de Negocios
III.4 Los Cuatro Pilares de la Organización

---

## III.1 Concepto Desarrollador de Negocios

Un Desarrollador de Negocios es una persona con actividades y conocimientos en distintas áreas tales como ingeniería, finanzas, mercadotecnia, ventas, liderazgo; diseño, construcción, entorno global y local, etc.; con la capacidad y el sentido común de identificar y formar equipos multidisciplinarios con los elementos clave para llevar a cabo exitosamente nuevos proyectos de inversión.

El Desarrollador de Negocios exitoso, participa activamente en diferentes proyectos, que van desde la búsqueda y generación de prospectos, planeación y ejecución de las propuestas de trabajo, hasta la realización misma del proyecto.

Existe una confusión en el medio profesional entre dos escenarios principales de los Desarrolladores de Negocios: Por un lado, el Desarrollador de Negocios enfocado principalmente a negocios de inversión; y por otro, el Desarrollador de Negocios de empresas de servicios como aquél cuya misión esencial es la de promover los servicios de su empresa.

## III.2 Responsabilidades del Desarrollador de Negocios

La siguiente Figura III.1 muestra las responsabilidades que le corresponde cubrir a todo Desarrollador de Negocios:

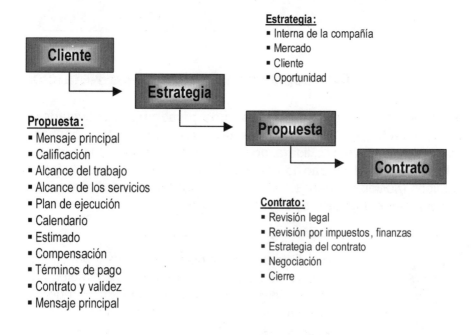

Figura III.1 Responsabilidades del Desarrollador de Negocios

# III.3 Funciones del Desarrollador de Negocios

Las funciones propias del Desarrollador de Negocios son:

- Liderazgo
- Dirección estratégica
- Identificación de mercados
- Identificación de clientes
- Dirigir a la empresa hacia el éxito
- Identificar oportunidades, perseguir y concretarlas
- Presentaciones a clientes
- Desarrollar criterios de evaluación (S/N)
- Desarrollar términos contractuales y comerciales.
- Apoyar a operaciones en el desarrollo de la propuesta
- Adquirir un buen conocimiento de: Organización, planes, inquietudes del cliente
- Adquirir un buen conocimiento de la competencia (propia y del cliente)
- Tener la sensibilidad de cuándo el cliente está listo para tomar una decisión
- Hacer labor de venta interna y externa
- Llegar a ser parte de la organización del cliente
- Ser parte de todas las organizaciones
- Entender las propuestas como casos de negocio
- Utilizar y optimizar los servicios de: Mercadotecnia, producción, inteligencia de mercado, entre otros
- Entender el proceso de la negociación
- Ser desarrollador, vendedor e investigador
- Conocer ampliamente los recursos propios, del cliente y de la competencia
- Utilizar herramientas de DDN (Internet, revistas especializadas en el negocio de su cliente)
- Entender estrategias de operaciones como: Ingeniería, construcción, procuración, procesos (consultar expertos)
- Conocer las inquietudes y necesidades de operaciones
- Conocer a la perfección sus productos o servicios

*El Desarrollador Ideal*

Para lograr ser el desarrollador ideal es necesario:

- Ser parte de la organización del cliente
- Ser parte de la organización y asociados
- Conocer las debilidades y fortalezas internas de los asociados
- Conocer las debilidades y fortalezas de la competencia y del cliente

> **El Desarrollador de Negocios de Inversión** es aquel cuya misión principal es la de promover un proyecto integral. Va muchas veces de la mano con los desarrolladores de bienes raíces donde las actividades principales entre otras son: La búsqueda de sitios para nuevos proyectos, la adquisición de terrenos y propiedades, la realización de proyectos build-to-suit, la comercialización de propiedades, la negociación y renovación de contratos.
>
> **El Desarrollador de Negocios de Empresas de servicios** es aquel cuya misión esencial es la de promover los servicios de su empresa.

Por otro lado, las actividades de Desarrollo de Negocios se encuentran bien identificadas dentro de las empresas dedicadas a la venta de servicios con la finalidad de promover los mismos. Desde el punto de vista de estas empresas, al personal de ventas se les llama Desarrolladores de Negocios.

En este caso específico el Desarrollador de Negocios dentro de la empresa de servicios es un vendedor con la visión global del negocio donde se aplican los servicios de su empresa.

Un ejemplo ilustrativo en el caso específico de una empresa de gerencia de construcción, el Desarrollador de Negocios dentro de ésta debe de tener la visión del negocio de su cliente. Es decir para poder ofrecer la mejor solución en un determinado proyecto, el Desarrollador de Negocios debe entender las necesidades del negocio de su cliente.

De la misma manera, el Desarrollador de Negocios de Inversión deben entender las necesidades de sus clientes, usuarios, compañías de servicios, propietarios para llegar al éxito del proyecto en cuestión.

**Nota Importante:** Cabe mencionar que el proceso de Desarrollo de Negocios para los dos escenarios, tanto el de inversión como el de la empresa de servicios es el mismo, con algunas peculiaridades específicas de cada industria, sin embargo, como hemos visto la misión de cada uno es diferente.

## III.4 Los Cuatro Pilares de la Organización

La organización de Desarrollo de Negocios se sustenta en cuatro pilares que, al no descuidarse ninguno de ellos, nos llevan a ventas ganadoras (ver Figura III.2):

Figura III.2 Bases de la Organización de Desarrollo de Negocios

| Pilar | Función |
|---|---|
| Estrategias y planes de negocio | Este pilar está cimentado por la misión y visión del negocio, señalando la dirección hacia el éxito. |
| Estrategias y planes de venta | Aquí se establecen los términos comerciales, legales, financieros, administrativos, la selectividad es la palabra clave. |
| Investigación de mercado | La inteligencia del mercado, los casos de negocio, la base de datos de clientes y la constante lluvia de idea de soluciones creativas nacen de este pilar. |
| Servicios de mercadotecnia | Este pilar es meramente funcional y productivo, aquí se preparan las presentaciones a clientes, las propuestas, este es un pilar de intenso y arduo trabajo. |

## "No todo resbalón significa una caída"
## Herbert

# CAPÍTULO 4
# Creciendo Juntos,
# Desarrollando el Negocio

*"Ten visión y valor para crear, ten fé y valor para probar"*
Owen D. Young

Existe la necesidad de trabajar en el Desarrollo de nuestro negocio ya que este nos permitirá entender las necesidades de nuestros clientes, entender qué les motiva a realizar una compra, conocer quiénes son los que toman la decisiones en la organización de nuestros clientes, y qué habilidades, destrezas y conocimientos requerimos; y cuáles son los recursos con los que debemos de contar.

**Este capítulo contiene los siguientes temas:**

IV.1 Misión y Visión del negocio
IV.2 Etapas del desarrollo de un negocio
IV.3 La presentación
IV.4 Ciclo de ventas
IV.5 Teoremas de desarrollo de negocios
IV.6 Estrategia general del negocio
IV.7 Plan de acción del negocio
IV.8 Perfil de líderes en ventas globales
IV.9 Responsabilidades del vendedor
IV.10 Funciones del vendedor
IV.11 Estilos de comunicación y las ventas
IV.12 Internet y las ventas
IV.13 Misión y visión del negocio

En la mayoría de los negocios existen los bien encuadrados Visión y Misión del negocio. Es importante tenerlas visibles, pero más importante es asegurarnos que todos en el negocio o en la empresa entiendan el mensaje atrás de cada marco, el porqué del mensaje y si este está actualizado con los últimos cambios del mercado.

# IV.1 Misión y visión del negocio

## Misión y Visión

Estos conceptos fueron revisados con mayor detalle en el Capítulo 2. Dónde estamos, quiénes somos y cuáles son nuestras metas se destacan con la Misión. Dónde queremos estar y dónde nos vemos en el futuro se destacan en la visión. Sin Visión y sin Misión no hay sueños ni dirección.

Una vez definidos, digeridos, entendidos y aceptados los conceptos de misión y visión, debemos escribir el mapa que nos va a llevar hacia nuestras metas y sueños alcanzables.

## Estrategia general del negocio

El mapa que nos va a llevar hacia nuestras metas y sueños, es la estrategia general del negocio.

La necesidad de estrategia de negocios escritas, es cada día más evidente, sobre todo hoy en día que se han presentado cambios en aspectos generales de las ventas en comparación con el pasado. Entre otros cambios figuran los siguientes:

- Las ventas son mucho más complejas por los cambios de la economía global, por los cambios de tecnología y muchas otras cosas
- El ciclo de ventas se toma mayor tiempo
- El cliente está mucho más informado
- Existen múltiples tomadores de decisiones en una negociación
- La competencia es más compleja
- Vendedores más individualistas

Para comprender esta complejidad en las ventas de hoy, es necesario empezar por analizar las etapas de desarrollo de un negocio, de un nuevo proyecto, para posteriormente analizar el ciclo de ventas y el cómo nos adecuamos al mercado

## IV.2 Etapas del desarrollo de un negocio

Las Etapas del Desarrollo de un Negocio son cuatro y son cíclicas:

1. Búsqueda de prospectos
2. Generación de prospectos
3. Planeación / producción de la propuesta
4. Realización del proyecto.

### 1. Búsqueda de prospectos

La siguiente Figura IV.1 muestra las etapas que conforman el proceso de la búsqueda de prospectos:

Figura IV.1 Etapas del Proceso de la Búsqueda de Prospectos

*Búsqueda de Prospectos*

En la etapa de búsqueda de prospectos, el vendedor debe buscar dentro del gran mercado de oportunidades a través de una inteligencia de mercado equilibrada, los clientes estratégicos que enriquecerán la Visión y Misión del Negocio. Ésta es una etapa de entrevistas a clientes para comprender sus necesidades.

En esta etapa se recomienda al vendedor marcar con las letras a, b y c a los clientes a corto, mediano y largo plazo respectivamente. Lo importante de todo esto es tomar el concepto, luego el vendedor deberá aplicarlo a la medida de sus necesidades.

La búsqueda de prospectos se hace a través de varios medios, entre otros figuran:

- Cámaras de Comercio
- Revistas y publicaciones
- Organismos promotores de gobiernos
- Compañías de servicio
- Contratistas
- Ferias y exposiciones
- Internet
- Referencias de clientes

## 2. Diagrama: Generación de prospectos

La siguiente Figura IV.2 muestra las etapas que componen el proceso de generación de prospectos:

Figura IV.2. Proceso de generación de prospectos

## Generación de prospectos

Al identificar potenciales negocios o prospectos, se deben generar y mantener sólo aquellos que sean rentables para la empresa, esto es Selectividad. Típicamente, el 20% de nuestros clientes genera el 80% de nuestros proyectos rentables. Pues dediquémosle el 80% de nuestro tiempo a ese 20% de nuestros clientes. La clave es el saber identificarlos.

En esta etapa el vendedor entrevista de nuevo a los prospectos varias veces hasta entender sus necesidades reales, hace presentaciones al cliente y planea la propuesta de servicios.

El vendedor debe tener muy claro qué sector del negocio está atendiendo y cuáles son las tendencias de contratación en este sector, y de preferencia, ser promotor de las nuevas tendencias. En la mayoría de los sectores (petroquímico, telecomunicaciones, automotriz, comercial e institucional entre otros) la tendencia cada día es de delegar más los servicios no estratégicos a compañías de servicios externos; y las empresas líderes en su ramo que sólo están ejecutando los trabajos internos propios de su negocio con el personal.

**Ejemplo:** Hace más de 10 años PEMEX concursaba solamente la construcción de nuevas plantas a compañías X, Y., la ingeniería la ejecutaba otra empresa diferente a X, Y. Después la tendencia cambió a contratar compañías de ingeniería y construcción, y últimamente los concursos de algunas áreas de PEMEX no sólo son de ingeniería y construcción, sino hasta la operación de las nuevas plantas por cierto tiempo determinado en el contrato de servicios los cuales involucran un financiamiento. La moraleja es de que hay que entender las tendencias de contratación en los sectores que ofrezcamos servicios y apoyar a estos de la manera más creativa posible para ganarle terreno a nuestra competencia.

**Conclusión:** En esta etapa de generación de prospectos debemos entender de fondo las necesidades de nuestros clientes, las formas de contratación, las tendencias y el lenguaje de negocios de cada sector.

## 3. Diagrama: Producción de la propuesta

La siguiente Figura IV.3 muestra las etapas que conforman el proceso de producción de la propuesta.

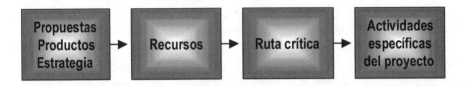

Figura IV.3 Etapas del proceso de producción de la propuesta

*Planeación/ Producción de la Propuesta*

La etapa de Planeación / Producción de la Propuesta es similar a la coordinación de un proyecto o evento, primero se determina cuál es el alcance de la propuesta, cuánto tiempo se llevará en producir y qué recursos se requieren para llevarse a cabo (gente, presupuesto, tiempo).

Una propuesta varía desde una simple hoja hasta volúmenes de información. Sin embargo, para ganar, el documento de propuesta tanto un extremo como el otro debe reflejar las necesidades del cliente. Para esto es necesario desarrollar una estrategia de ventas de la propuesta.

El proceso de la propuesta se puede entender en cuatro grandes fases con las siguientes características:

| Fases | Características |
|---|---|
| **Pre Planeación** | Evaluación de la oportunidad del Negocio |
| | Análisis del documento de la propuesta |
| **Planeación** | Definición de Alcance, Presupuesto |
| | Calendario |
| | Borrador de Términos Comerciales y Contractuales |
| | Identificación de Recursos |
| | Desarrollo de Estrategia |
| **Producción de la propuesta** | Junta de arranque |
| | Borrador |
| | Revisión Ejecutiva |
| | Impacto Visual |
| | Fortalezas y Debilidades |
| | Competencia |
| | Términos Comerciales |
| **Post-propuesta** | Visita a Clientes |
| | Futuros Proyectos |
| | Seguimiento |
| | Negociación Contrato |
| | Retroalimentación |

## 4. Realización del proyecto (etapa post-venta/ etapa postmortem)

Típicamente en esta etapa se negocia el contrato de servicios, se obtienen retroalimentación del cliente, se buscan las lecciones aprendidas y se documentan (qué hicimos bien para repetirlo, y qué hicimos mal para no cometer el mismo error de nuevo) y con esto, poder planear futuros negocios. Todo esto se sintetiza en los siguientes puntos, mismos que tendremos que tomar en cuenta para la realización del proyecto:

- Aspectos comerciales
- Aspectos legales
- Compromisos con el cliente
- Retroalimentación de futuros proyectos
- Análisis post-venta / post-negociación

*Desarrollo de una propuesta*

El desarrollo de una propuesta es una actividad muy costosa en tiempo y recursos de nuestra empresa, por lo que es muy importante hacer una evaluación para determinar si en realidad tenemos algo valioso que aportar a nuestro cliente. Debemos que entender a una propuesta de servicios como un negocio redituable, en donde ambas partes se beneficien, el portador de servicios y el cliente que los recibe.

Para optimizar los recursos y maximizar el impacto que podemos tener en una propuesta hacia un cliente, debemos tener en cuenta los siguientes principios:

- Ser selectivo
- Estar enfocado
- Estar en el momento adecuado
- Realizar una investigación de mercado balanceada
- Conocer las oportunidades prematuramente
- Estar y ser parte del mercado

## Optimizar Recursos / Maximizar Impacto

La clave en la obtención de negocios es posicionarse tempranamente desde la etapa de búsqueda de prospectos, (BP) y generación de prospectos, (GP), estas son las fases en donde los recursos que involucramos en el desarrollo del negocio son mínimos y el impacto es el mayor (ver Figura IV.4).

Por el contrario, en el momento de participar en la producción de la propuesta, (PP) nuestro impacto a la solución del cliente es mínimo, ya que el cliente sólo cotiza por una solución creada por el mismo o por terceros. Además, los recursos involucrados en la preparación de la propuesta son superiores a las etapas más tempranas.  Por ésto para una oportunidad específica debemos de analizar en qué etapa estamos y optimizar los recursos para maximizar el impacto.

Finalmente la etapa de realización de proyectos, (RP)  es conocida también como la etapa post-venta, es una etapa de retroalimentación para futuros proyectos.

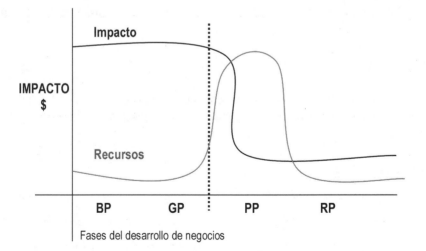

Figura IV.4 La optimización de la Propuesta de Negocios

*Claves del éxito de una propuesta, de acuerdo a la empresa consultora Shipley Associates*

*Algunas claves para llevar al éxito una propuesta son:*

- Identificar los puntos más importantes para el cliente
- Identificar cómo nuestra compañía podría beneficiar al cliente
- Identificar cómo la competencia no podría beneficiar al cliente
- Resaltar las fortalezas de la compañía
- Minimizar las debilidades de la compañía
- Neutralizar las fortalezas de la competencia
- Escribir subliminalmente las debilidades de la competencia

*Propuesta ganadora*

Cuando nuestra propuesta ha sido la ganadora, es necesario:

- Analizar el documento de la propuesta a detalle
- Desarrollar perfil del cliente
- Desarrollar perfil de la competencia
- Evaluar las capacidades, recursos y compromisos de nuestra empresa.

*Perfil del Cliente*

Este es el análisis a detalle de nuestro cliente, es una radiografía de su empresa, de sus productos y servicios, de su competencia y sus clientes.

Hay que conocer:

- Estructura de la compañía
- Matriz de decisión
- Principales productos
- Posición del cliente en su ramo
- Tendencias de inversión en nuevos proyectos
- Tendencias de empleo y niveles de personal
- Relación de trabajo con nuestra competencia
- Nuestras fortalezas y debilidades vistas por el cliente
- Ligamientos políticos relevantes
- Relación con el cliente

*Perfil de la Competencia*

Esta es la radiografía de nuestra competencia, ¿Cómo son?, ¿Cuáles son sus estrategias?, ¿Cuáles son sus mayores debilidades?, etc.

Y debemos conocer:

- Estructura de la compañía
- Principales fortalezas industria y servicio
- Principales debilidades industria y servicio
- Clientes y proyectos principales
- Estrategias

- Niveles de empleo y personal
- Capacidades de financiamiento
- Reputación y posición en la industria
- Capacidades específicas para el proyecto en curso

# IV.3 La presentación

El saber vender tiene mucho que ver con cómo lo vendamos, de ahí el dicho famoso ¨ De la vista nace el Amor ¨. Si no podemos transmitir nuestro valor agregado al cliente ya sea a través de una propuesta de servicios /productos o una presentación exitosa nuestra competencia lo hará. No importa cuantos idiomas hablemos si no sabemos transmitir lo que pensamos entonces no nos entenderán.

La razón es que no hemos aprendido a planear lo que queremos decir; debemos de pensar las ideas principales de lo que queramos transmitir al cliente, necesidades, beneficios y en base a esto ponerlo en blanco y negro para poder finalmente transmitir la idea y convencer al cliente de la compra.

La presentación oral o escrita es vital y es una habilidad que el Desarrollador de Negocios debe aprender a dominar.

## Presentación a clientes

Para realizar con éxito una presentación al cliente, es necesario:

- Entender las necesidades del cliente
- Hacer agenda preliminar y enviársela al cliente antes de la presentación
- Evitar sorpresas o malos entendidos
- La mejor presentación inicial es cuando el cliente termina dando la presentación
- Utilizar ayuda visual y tecnología

## Técnicas para una buena presentación

Las técnicas para una buena presentación son:

- Postura y movimiento
- Gestos y expresiones faciales
- Pausa y contacto visual
- Desarrollar objetivo (persuasivo o informativo)
- Analizar la audiencia:
    - Valores
    - Necesidades
    - Restricciones (políticas, financieras, conocimiento)
    - Información demográfica
- Hacer lluvia de ideas de los tópicos principales
- Mencionar los tópicos secundarios
- Destacar beneficios
- Desarrollar folletos y ayuda visual

## Organización de la presentación

Se sugiere que la presentación vaya en el siguiente orden

- Dar resumen de idea principal
- Presentar frase de apoyo
- Desarrollar introducción

- Desarrollar el cuerpo de la presentación
- Desarrollar la conclusión

## Presentación

Las partes que componen la presentación son:

- Introducción
- Frase de resumen
- Idea principal
- Ideas secundarias
- Beneficios
- Frases de revisión
- Conclusión

## Preguntas y respuestas

- Preparar las preguntas
- No anticipar las respuestas
- Responder con claridad
- Responder extendiéndose
- Mantener estilo
- Ser honesto
- Involucrar a toda la audiencia
- Mantener el 25% del contacto visual con la persona que le preguntó y el 75% con el resto de la audiencia
- Mantener respuestas al punto

## Lecciones aprendidas

- Objetivo principal
    - Establecer credibilidad, claridad, percepción de calma y de confidencia
- Investigación de impacto en la claridad de la presentación muestra:
    - 7% verbal
    - 38% sensitivo
    - 55% visual.

## Habilidades de presentación

El modelo clásico de presentación aquí adjunto se utiliza para cualquier tipo de presentación, ya sea imprevista o planeada.

| Modelo De tres | Modelo Clásico de Presentación | Ejemplo |
|---|---|---|
| Apertura | Punto principal<br><br>Diles lo que les vas a decir.<br><br>**Enséñales el panorama** | **La economía está mejorando** |
| | **Punto clave 1** | **- El índice de desempleo es bajo** |
| | **Punto clave 2** | **- La inflación está bajando** |
| | **Punto clave 3** | **- Los intereses también se mantienen bajos** |
| Contenido principal | Punto principal<br><br>Diles<br><br>**Enséñales los detalles** | |
| | **Punto clave 1** | **- Prueba: Ha sido el más bajo en 24 años.**<br><br>**- Prueba: La tasa de cambio es del 3 al 4 %.**<br><br>**- Prueba: La compra de casas se ha incrementado.** |
| Conclusión | Punto clave 1<br><br>Diles lo que les dijiste<br><br>**Reafírmales la visión** | **Por lo tanto la economía está mejor** |

## Ejercicio de Presentación

- Analizar el tópico asignado
- En 20 minutos organizar sus ideas
- Usar el modelo de presentación
- Decidir quién presentará qué parte. Las partes son:
    - Apertura, Contenido, Puntos Clave 1,2, 3 y Conclusión
    - Todos deben participar al menos una vez
- Tiempo de presentación: 20 minutos

*Ejercicio: Grupo 1*

Se le ha pedido hacer una presentación a niños de 15 años acerca de por qué fumar es malo y por qué no lo deberían hacer; se debe tomar en cuenta que la audiencia es adolescente.

*Ejercicio: Grupo 2*

Se le ha pedido hacer una presentación a un nuevo empleado de su compañía acerca de los beneficios de ésta. Decida cuáles son los tres puntos más importantes que el nuevo empleado necesita saber.

*Ejercicio: Grupo 3*

El presidente de México tiene una audiencia pública para abordar tópicos con suma importancia. ¿Qué tópico sería de vital importancia y cuáles son tres razones de la importancia?.

*Ejercicio: Grupo 4*

Se le ha pedido hacer una presentación a inversionistas acerca de porqué invertir en México es muy seguro y no deberían asustarse con el final de sexenio.

# IV.4  Ciclo de ventas

Existen cuatro fases dentro del ciclo de ventas (ver Figura IV.5):

1. Entendimiento de las necesidades del mercado
2. Soluciones creativas para el cliente
3. Estrategia de ventas
4. Producción de propuestas de nuevos servicios

**Nota importante:** Si el vendedor entiende en qué fase del negocio está el cliente, mayores posibilidades de éxito tendrá. Muchas veces el vendedor produce propuestas costosas sin saber en qué fase del negocio está el cliente.

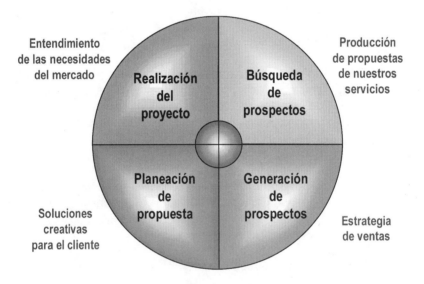

Figura IV.5 Acoplando nuestra solución al mercado

## 1. Entendimiento de las necesidades del mercado

Es vital para ser exitoso en ventas entender a fondo las necesidades del cliente y las del mercado para poder entender y ayudarles a satisfacer sus necesidades desde la médula de la empresa. (el mercado)

## 2. Soluciones creativas para el cliente

La única forma de dar soluciones a nuestros clientes es estudiando sus necesidades, no las de sus oponentes y de ésta forma nos servimos de la competencia.

## 3. Estrategia de venta

Una estrategia de ventas es como llegar a satisfacer las necesidades de nuestro cliente y apoyarle donde más nos necesita.

## 4. Producción de propuestas de nuevos servicios

Esta etapa es la última en el proceso, hay que entender si el cliente está proponiendo obtener un presupuesto o determinar donde está el cliente en cuanto a su proyecto.

**Metodología de ventas**

Las características de la metodología de ventas son:

- Identificar visión del cliente, motivadores y preocupaciones
- Apalancar con los esfuerzos de posicionamiento
- Preparar varias soluciones para el cliente
- Crear estrategia de captura de negocios

## Fuentes de oportunidades de la venta

Algunas fuentes de oportunidades dentro de la venta que no debemos desaprovechar son:

- Clientes insatisfechos: Con sistemas actuales, proveedores o equipo
- Competidores con mejores sistemas
- Crecimiento que demanda mayores y mejores equipos, sistemas, etc.
- Costos que tienden a reducirse cada vez más, y
- Mejoras tecnológicas que permiten al cliente servir mejor a sus clientes o incrementar su mercado

## Diferentes Metodologías de Ventas

Las diferentes metodologías de venta que existen son:

- Capture Planning
    - Shipley Associates, 1994.
- Spin Selling
    - Huthwaite Inc., 1988.
- Strategic Selling
    - Miller Heiman, 1995.
- Solution Selling
    - Michael T. Bosworth, 1995.
- Power Selling
    - Jim Holden, 1995.
- OnTarget TAS versión 99

> La metodología CHAMOUN® tiene las ideas de cada una de estas propuestas y están adaptadas a nuestro entorno de negocios, enriquecida por la experiencia del Dr. Chamoun.

## Diferencias entre Metodologías de venta

La siguiente tabla muestra las diferencias existentes entre la distinta metodología de ventas:

| Metodología | Descripción | Objetivo | Características |
|---|---|---|---|
| Capture Planning | Proceso de identificación, articulación e implementación de estrategias orientadas a la captura de oportunidades específicas de negocio. | Ganar el posicionamiento de su compañía como su compañía como proveedor predilecto. | ❑ Orientado a la acción:<br><br>❑ ¿Qué acciones se tomarán?<br><br>❑ ¿Quién las efectuará y cuándo?<br><br>❑ ¿Cómo se medirá el progreso? |
| Spin Selling | Observaciones de 35,000 ventas en 12 años. | | ❑ Cuatro tipos de preguntas<br><br>❑ Situación: determinar datos, visión, dirección, etc.<br><br>❑ Problema: descubrir problemas, necesidades y preocupaciones.<br><br>❑ Implicación: explorar y determinar el tamaño del problema tangible e intangible.<br><br>❑ Necesidad: hacer que el prospecto compre la solución del problema vislumbrado. |
| Strategic Selling | Las ventas comienzan en la venta de un concepto o una idea. | | ❑ Identificar cuatro tipos de personalidades que influyen en la decisión de compra:<br><br>❑ Económico<br><br>❑ Usuario<br><br>❑ Técnico, y<br><br>❑ Consejero |

# Diferencias entre Metodologías de Venta (continúa...)

| Metodología | Descripción | Objetivo | Características |
|---|---|---|---|
| **Solution Selling** | **Proceso de preguntas, se establece paridad y superioridad.** | | ❑ **Modelo de nueve bloques para establecer la visión de compra del cliente.**<br><br>❑ **Ligar el modelo con las contribuciones del proceso de compra.** |
| **Power Selling** | **Proposición de valor** | | ❑ **Identificar a los individuos con poder de decisión de compra.**<br><br>❑ **Planear como influenciar a esos individuos.**<br><br>❑ **Guía de valor para oportunidades de negocios específicas.**<br><br>❑ **Fecha de implementación.**<br><br>❑ **Servicios y productos.**<br><br>❑ **Capacidad a clientes.**<br><br>❑ **Cuantifica medida y mejora.**<br><br>❑ **Costo-Beneficio (inversión)**<br><br>❑ **Calendario**<br><br>❑ **Seguimiento y control de mejoras.** |
| **On Target**<br><br>**TAS version 99** | **Proceso de preguntas que determinan si vale o no la pena la oportunidad.** | | ❑ **Metodología y sistemas especializados en telecomunicaciones.** |

## Venta Interna / externa

- Soporte
- Equipo
- Momentum
- Estrategia
- Venta del proyecto
- Motivación, y
- Dirigir y coordinar para llegar al éxito

## Factores de éxito en ventas de lo invisible

Los nueve factores que nos permitirán lograr el éxito en las ventas de lo invisible son:

- Comunicación
- Escuchar proactivamente
- Pasión
- Balance
- Trabajo en equipo
- Creatividad
- Trabajo con altos rendimientos
- Traer valor para el cliente
- Honestidad y ética.

## Limitaciones en ventas de lo invisible

Las seis limitaciones que nos pueden perjudicar en las ventas de lo invisible son:

- No trabajar en equipo
- Falta de ética
- Mal manejo del contrato de servicios
- Poner a la compañía en riesgo
- Arrogancia, y
- Protección de su propio territorio

## Ventas hoy vs. Ventas pasadas

- Mucho más complejas (cambios en economía, tecnología, etc.)
- Ciclo de ventas de mayor tiempo
- Cliente mucho más informado
- Múltiples tomadores de decisiones
- Competencia más compleja
- Vendedores más individualistas

 **CASO PRÁCTICO**

Para la realización del siguiente caso práctico con la empresa Software Optimización, se deberá trabajar en grupos, los cuales tendrán que decidir cuál es la mejor estrategia de negociación para que el propietario del software abarque la mayor parte del mercado en menor tiempo. Las características de la empresa son las siguientes:

- Único software ambiente Windows para optimizar plantas químicas para la producción de detergentes proceso MEGA.
- Última versión del software requiere de una inversión aproximadamente de $150,000.00 dólares.
- Existen 300 plantas en el mundo con el proceso MEGA.
- Cada planta requerirá dos licencias de software con un costo de producción de $500.00 dólares cada una.
- El valor comercial del software puede ir desde    los $5,000.00 hasta los $7,000.00 dólares.
- De las 300 plantas potenciales:
    Las compañías Y, X, W, Z, y B forman parte de los consejos de administración de varias universidades prestigiadas en el área de desarrollo de tecnología.

# IV.5 Teoremas de desarrollo de negocios

## Estrategias de Negocios

Para cada acción de negocios corresponde una o varias estrategias de negocios escritas. Las estrategias son función de:

- Organización del cliente
- Organización de la competencia
- Organización propia y de asociados
- Tiempo y
- Mercado

*Interacciones en el trabajo*

La interacción del personal de operaciones y ventas, es un reto para la mayoría de las empresas. Sin embargo, la interacción y el trabajo en equipo de operaciones y ventas en la producción de propuestas para clientes son fundamentales para el éxito (ver figura I.5).

*Los vendedores*

La existencia de una forma compensatoria que resulte atractiva para los vendedores es necesaria para conservar la salud del negocio.

La medición del desempeño de vendedores debe ser implementada basándose en resultados tangibles(ver figura I.6).

**"La disciplina es la parte más importante del éxito"**
**Truman Capote**

# IV.6  Estrategia general del negocio

> La estrategia es el mapa renovable que nos indica el camino para llegar al éxito (ver figura I.4).

## Estrategia general del negocio

La Estrategia General del Negocio dicta los lineamentos y los caminos a seguir para alcanzar la Visión y la Misión de la empresa o de la persona. Para escribir la estrategia hay que responder una serie de preguntas similares a las que se mencionan a continuación:

1. ¿Dónde queremos estar?
2. ¿Cuál es el mercado del negocio al que queremos darle servicio?
3. ¿Qué hace a nuestra estrategia diferente a la de otros?
4. ¿Cuál es nuestro valor agregado en el mercado?
5. ¿A cuál segmento del negocio nos queremos enfocar?
6. ¿En cuál tenemos las mejores posibilidades de alcanzar el éxito?
7. ¿Cuál segmento del negocio es el más redituable?, etc.

## Estrategia: Triunfar en el negocio

Las estrategias para triunfar en el negocio se enriquecen con:

- La inteligencia del mercado
- Los elementos necesarios para formar el entorno
- La percepción del entorno y hacia el entorno
- La revisión global y local del negocio

## Tácticas específicas del negocio

Como una tormenta de ideas similar a ésta, se generan las estrategias de las cuales, a su vez, se derivan tácticas específicas del Negocio, como por ejemplo:

1. Hacer un plan de negocios dirigido por la visión y misión de la empresa a corto, mediano y largo plazo
2. Fomentar alianzas estratégicas para conquistar nuevos campos de acción
3. Destacar nuestras ventajas y minimizar nuestras debilidades
4. Enfocarse en el corto plazo
5. Enfocarse en prospectos de alto rendimiento y alto potencial
6. Enfocarse en tecnología de ventas
7. Enfocarse en clientes repetitivos
8. Enfocarse en adquisiciones
9. Enfocarse en clientes de alto riesgo - altas ganancias

# IV.7 Plan de acción del negocio

## Medidas específicas: Plan de acción del negocio

En el Plan de Acción del Negocio se escriben medidas específicas que se deben de llevar a cabo en el año correspondiente, por ejemplo:

1. Tener un plan de acción a mediano y largo plazo.
2. Escribir qué recursos serán necesarios para llevar a cabo el plan.
3. Hacer un proforma de ingresos y egresos del año dentro del plan.
4. Actualizar el plan cada año.
5. Escribir quiénes son los clientes A - Corto plazo, B - Mediano plazo, C - Largo plazo.
6. Escribir medidas concretas a tomar con los clientes A, de esta manera nos enfocamos a resultados a corto plazo para

subir la moral y los incentivos de los vendedores.
7. Escribir la estrategia de ventas y operaciones dentro del plan de negocios.

## Estrategias de ventas

Las Estrategias de ventas surgen alrededor de una lluvia de ideas como las siguientes:

1. ¿Tenemos realmente los recursos para solucionar las necesidades del cliente?
2. ¿Qué alianzas debemos iniciar para extender nuestros servicios a un mayor campo de acción?
3. ¿Cómo vamos a convencer al cliente de que nuestras soluciones resuelven sus necesidades?
4. ¿A quiénes dentro de la organización del cliente y la nuestra hay que venderles la idea?
5. ¿A quiénes dentro de nuestra organización hay que vender la idea?

## Estrategia de ventas: Presentación inicial

Como parte de la estrategia de ventas para una presentación inicial con un cliente es necesario:

- Saber cuándo escuchar y cuándo vender
- Escuchar - Escuchar - Escuchar
- Tener agenda tentativa - cambiarla completamente

## Estrategia de ventas: Soluciones creativas

Dentro de la estrategia de ventas, también es necesario contar con soluciones creativas, tales como: A largo plazo las mejores soluciones son las que aprecia el cliente, no las que quiere oír. Y la creatividad es un valor agregado que puede ser un diferenciado importante con la competencia.

## Estrategia de ventas: Propuestas para clientes

- Analizar el documento de la propuesta a detalle

- Conocer al cliente a detalle
    - Estructura de la compañía
    - Matriz de decisión
    - Principales productos
    - Relación con el cliente
    - Posición del cliente en su ramo
    - Tendencias de inversión en nuevos proyectos
    - Tendencias de empleos y niveles de personal
    - Relación de trabajo con nuestra competencia
    - Nuestras fortalezas y debilidades vistas por el cliente

- Conocer a la competencia y a nuestra compañía a detalle
    - Estructura de la compañía
    - Principales fortalezas industria y servicios
    - Principales debilidades industria y servicios
    - Clientes y proyectos principales
    - Niveles de empleo y personal
    - Capacidades de Financiamiento
    - Reputación y posición en la Industria
    - Capacidades específicas para el proyecto en curso
    - Estrategias

- Evaluación de la propuesta exitosa
    - Identificar los puntos más importantes para el cliente
    - Identificar cómo su compañía podría beneficiar al cliente
    - Resaltar las fortalezas, minimizar las debilidades de la compañía
    - Neutralizar las fortalezas y escribir subliminalmente las debilidades de la competencia

## IV.8  Perfil de líderes en ventas globales

¿Cuál es el perfil del líder en ventas del nuevo milenio?, ¿Qué características debe de tener?, ¿Qué habilidades y conocimientos debe de tener?, ¿Es usted un líder? o ¿Identifica usted a alguno que tenga las características?

El líder en ventas del nuevo milenio en concreto se llama: Desarrollador de Negocios.

**Perfil de líderes**

Algunas cualidades que debe de tener el perfil de los líderes en ventas globales, Desarrollador de Negocios son:

> *Cualidad*
> - Visionario :  Nike
> - Estratega : Microsoft
> - Visión Global : Sony
> - Pasión para Ganar : Grupo Carso, Cemex
> - Integridad: Johnson & Johnson, HP
> - Sentido Común: Fedex
> - Receptivo: Dysnelandia
> - Responsable: Harvard Business School (HBS)
> - Balanceado como juez de negocios: HBS

## IV.9  Responsabilidades del vendedor

Las responsabilidades y funciones del vendedor serán citadas a manera de resumen en las siguientes secciones de este capítulo. Éstas son responsabilidades y funciones que han sido observadas en los líderes globales de ventas que son consistentemente exitosos.

**Responsabilidades del vendedor**

Algunas responsabilidades que debe cumplir cualquier vendedor son:
Ver sección III.2

> *Responsabilidad*
> - Cliente
> - Estrategia
> - Propuesta
> - Contrato

# IV.10  Funciones del vendedor

Las funciones de un vendedor son las características típicas requeridas para que logre los objetivos de venta.

**Funciones del vendedor**

Algunas funciones que deben llevar a cabo los vendedores son:
(ver sección III.3)

> *Función*
> - Liderazgo
> - Dirección estratégica
> - Identificación de mercados
> - Identificación de clientes
> - Dirigir la empresa hacia el éxito
> - Hacer labor de venta interna y externa
> - Llegar a ser parte de la organización de su cliente
> - Utilizar y optimizar los servicios de mercadotecnia,
>   producción, inteligencia de mercado
> - Entender el proceso de negociación

**"Nuestro carácter es el resultado de nuestra conducta"**
**Aristóteles**

# IV.11  Estilos de comunicación y las ventas

## Estilos de comunicación y las ventas

Un estilo de comunicación es un patrón de comportamientos observables, que pueden usarse para entender y predecir las acciones de las personas.

Todas las personas que son importantes para nuestro trabajo quizá piensen, decidan, trabajen, se motiven y se relacionen con el tiempo de manera distinta que cada uno de nosotros. Existen herramientas para determinar en qué zonas de comodidad de estilo nos encontramos y en qué zonas se encuentran los que nos rodean en el trabajo y en nuestra vida cotidiana.

Estas razones están conformadas por cuatro estilos de comunicación principales con sub-estilos, de acuerdo a Greg Morganthau (ver Figura IV.6)

| Estilo | Características |
|---|---|
| Relacionador | Orientado hacia la gente, busca la seguridad, toma decisiones y acciones lentamente, le disgusta el conflicto, leal miembro de equipo, buen oyente. |
| Persuasivo | Es una persona con una imaginación creativa, de paso rápido, de acciones y decisiones espontáneas, impaciente, busca aprobación y reconocimiento y es algo elitista. |
| Analítico | Tiene la conciencia de seguridad, es cauteloso y toma decisiones lentamente, puntual en la entrega de compromisos, gran solución de problemas, orientado al detalle, independiente. |
| Directivo | Es autoritario, tajante, enfocado a resultados, duro y tenaz, pobre habilidad de escucha, líder y auto-motivado. |

Todos tenemos un poco de cada estilo y nos sentimos más o menos relacionados con las personas que tienen un estilo similar al nuestro.

Utilizando ciertas herramientas para saber en cual zona de estilo estamos más a gusto y en cuáles están otras personas, nos podremos adaptar para el estilo que necesitemos hacerlo y así lograr nuestros objetivos principales, tales como: La comunicación efectiva, el buen y exitoso trabajo en equipo, las ventas, entre otros.

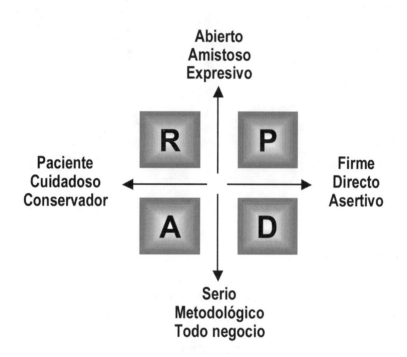

Figura IV.6 Estilos de Comunicación de Greg Morganthau

**Las dos caras de los estilos**

Ningún estilo de comunicación es mejor que otro. Sin embargo todos los estilos tienen dos caras. Una positiva y que a todos les agrada y otra negativa que típicamente es por la que recordamos a los estilos de los otros. He aquí un resumen de las dos caras (ver Figura IV.7):

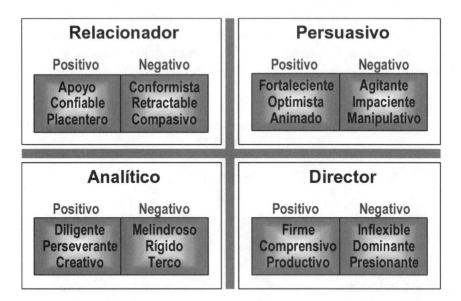

Figura IV.7 Las dos caras de los estilos de comunicación de Greg Morganthau

### Adaptación de estilo

Para poder adaptar nuestro estilo de ventas es necesario reconocer el estilo del otro, esto ayuda a mejorar la comunicación.

¿Cuándo es buen momento para adaptar?
- En el primer reencuentro
- Cuando tiene un objetivo por cumplir con el otro
- Cuando él tiene un objetivo importante que cumplir a nosotros
- Cuando él está bajo presión

Depende de a quién le estamos vendiendo, es la estrategia que debemos utilizar, por ejemplo:

| Si el cliente es... | Entonces... |
|---|---|
| Relacionador | **Les enseñaremos cómo su producto estabilizará y dará apoyo a las prácticas existentes y a las relaciones.** |
| Analítico | **Le entregaremos pruebas lógicas que documenten con exactitud su calidad, reputación y valores.** |
| Directivo | **Le demostraremos que se ha hecho una investigación de su mercado y de su Industria.** |
| Persuasivo | **Le enfatizaremos cómo su producto les aumentará reconocimiento social y les ahorrará esfuerzos.** |

*Conclusión*

Dirigiendo nuestros objetivos de la manera adecuada nos llevará a la efectiva obtención de resultados.

**"Hay que tomar a las personas como son, no existen otras"**
**Konrad Adenauer**

# IV.12  Internet y las ventas

**Internet y Desarrollo de Negocios**

El Internet es una excelente herramienta de apoyo a la planeación. Al entrar en una negociación, si una de las partes planeó diferentes escenarios, estrategias, opciones y alternativas, no sólo la visión del negociador planeador (desarrollador de negocios) es mayor, sus ventajas serán mayores en la mesa de negociación.

Al vender un servicio o una idea planeando qué beneficios tendrán los potenciales usuarios, la venta se puede ir por diferentes caminos, todos previstos por el vendedor planeador; de esta manera el cliente/usuario tendrá opciones de donde escoger y muy seguramente escogerá las suyas.

Al proponer sus servicios, ideas o productos, la planeación ayuda al proponente de visualizar alternativas y de esta manera el impacto será mayor, entonces el planeador que propone tiene mayores ventajas que otros.

Al presentar planeando todos los puntos que el cliente requiere es más probable que se cumplan. El presentador planeador es aquél que mayor impacto tendrá con su audiencia.

Para poder planear en las diferentes etapas del desarrollo de un negocio se requiere de información de mercado. Antes de que existiera Internet la tarea era más ardua. Con Internet sólo es cuestión de teclear y buscar la página WEB de nuestro cliente, competencia, productos y servicios de tal manera que podamos planear con esta información y utilizar las estrategias adecuadas a tal o cual situación. Por ejemplo, si estamos haciendo una presentación hacia centros de investigación y requerimos de información para probar nuestros puntos, mucha de esta información estadística está en la WEB, y es sólo cuestión de navegar inteligentemente para obtenerla.

En este increíble mundo de información, con sólo un tecleado, podemos encontrar cuáles son las nuevas inversiones en una región especifica, quiénes son los jugadores de la industria tal o cual, cómo se está moviendo esa industria, estadísticas de transporte, comercio internacional, cómo contratan en esa industria, quién es quién en esa industria, la competencia, los clientes, el mercado de esa industria y de ésta manera poder pronosticar tendencias más inteligentemente.

Un estudio de mercado que se llevaba meses hacerlo antes de Internet hoy se puede realizar en cuestión de días. Por experiencia, un estudio de mercado que utilizamos para penetrar un producto mexicano en Estados Unidos hace una decena de años nos llevó tres meses. En Internet encontramos mucha de la información que requerimos en sólo unas horas.

La información está ahí lista para que la obtengamos en un sitio de Internet. La cuestión no está en la obtención de la información; sino en qué tipo de información y para qué la queramos. Como hacer un estudio de mercado que nos sirva en el desarrollo del negocio, en la presentación, propuesta o negociación al cliente es lo difícil, se requiere de capacidad de análisis, (desarrollador de negocios).

Entonces la moraleja es: si bien es cierto que tenemos a sólo un teclado, toda la información disponible en Internet, la capacidad de análisis depende directamente de la persona y su experiencia (desarrollador de negocios). Existe el riesgo de obtener muchos datos que no tienen ningún impacto sobre el objetivo final. De nuevo debemos de planear la búsqueda de la información sabiendo de antemano qué necesitamos, qué queremos hacer con la información, cuál es el objetivo final.

Con el objetivo en mente, antes de una visita , presentación y propuesta al cliente, Internet se puede utilizar como fuente de inteligencia de mercado.

Internet es la fuente más rápida e importante para obtener, tanto información de mercado como las últimas noticias de nuestros clientes. Siempre es de muy buen gusto llegar a la oficina de nuestros clientes con la última información de su empresa, el cliente se siente tomado en cuenta.

Finalmente no podemos dejar a un lado las "e-negociaciones" o sea negociar a través de Internet, de e-bussines, de e-commerce, etc. Este tema está en desarrollo para incluirlo en futuras ediciones.

Algunos Tips:

- Identificar y marcar web sites de información acerca de clientes por industria y giro.
- Antes de tener junta con el cliente, leer las últimas noticias en Internet.
- Conocer la compañía del cliente, estados financieros, reporte anual.
- Impresionar en la primera visita.
- Buscar noticias de nuevas inversiones, tendencias en secretarías de comercio y cámaras internacionales.
- Hacer formatos de planes de negocios.


**"El éxito tiene muchos padres,
pero el fracaso es huérfano"
John F. Kennedy**

# CAPÍTULO 5

# El Arte y la Ciencia

# de la Negociación

*"El arte es la mentira que nos permite comprender la verdad"*
*Pablo Picasso*

*"El éxito es una ciencia. Si se presentan las circunstancias, se obtienen*
*los resultados"*
*Oscar Wilde*

La rentabilidad de nuestros servicios se incrementa entre más acerquemos el tramo que separa la venta al de la negociación. A la mayor parte de los vendedores, nos preocupa y motiva tanto el cierre que nos apuramos en atrapar al primer pescado y se nos olvida la negociación y el pescado termina no estando tan gordo como quisiéramos.

En las ventas como en los deportes si no planeamos la negociación, vamos a obtener mucho menos por el mismo esfuerzo. ¿Cuántas veces nos sorprende que ni siquiera necesitamos negociar y se dan solas las cosas? La razón de ser es que planeamos la venta y esto nos conduce a tener mayor poder de negociación a la hora de negociar detalles.

Es entonces importante entender que hay detrás de la negociación para el desarrollador de negocios. Para esto, hemos incluido en esta sección conceptos, factores y tácticas comunes de negociación, así como las nuevas tendencias de negociación del programa de Harvard.

**La diferencia de género y la negociación**

Como resultado de análisis de una investigación conducida por el Dr. Jeswald Salacuse y después de haber conducido la investigación de negociación del Dr. Habib Chamoun en diferentes medios de nuestra sociedad Mexicana y entrevistando a un conjunto de mujeres y hombres algo sale a relucir entre muchas otras cosas.

Aquí menciono algunas de las observaciones generales y sólo enfocando a la diferencia de género:

La mujer es sin dudar alguna una negociadora por naturaleza, siempre luchando por sobrevivir, siempre analizando los detalles, siempre mirando los problemas desde muchos ángulos. Siempre actuando como la protectora de los que están a su alrededor. Esto hace que al entrar a una negociación entra con mayor cautela, desconfianza, asegurando que se está pisando terreno firme; observando todos los detalles minuciosamente.

Al estar observando a un sin número de mujeres ejecutivas algo en común era lo siguiente:

1. Tienen la habilidad de hacer sentir a la otra parte lo mejor al estar tratando con ellas, le elevan el autoestima quizás inconscientemente o conscientemente, es decir hacen todo lo posible para empatizar con la otra parte.

2. Tienen toda la paciencia del mundo con la finalidad de lograr el objetivo de la negociación.

3. Son extremadamente detallistas y leen entre líneas.

4. Las habilidades de negociación son tan naturales que quizás no se den cuenta cuando las están aplicando o sea negocian inconscientemente.

5. La habilidad de comunicación de saber cuando decir que con quien, y el cómo es algo que se les da muy natural.

6. La diferencia de género en el estilo de negociación influye más que la diferencia de cultura. Sin embargo la diferencia de la cultura de la mujer es como un valor agregado que añade un tono a la negociación. Es decir si las mujeres ya por ende son buenas negociadoras, una mujer latina quizás tenga un grado de flexibilidad mayor al negociar que una mujer anglosajona por vivir y convivir en diferentes entornos, uno caótico con mayores áreas de oportunidad y otro muy normado sin mucho por donde negociar.

Finalmente, la negociación no sólo es puntual, se lleva tiempo, tiene un inicio y un fin, es un proceso con actividades relacionadas entre sí. La Negociación es la resolución de problemas de ambas partes, es un proceso de donde se pueden utilizar teorías tan sofisticadas como la teoría de toma de decisiones, análisis de riesgo y la teoría de juego de Matemáticas.

**Este capítulo contiene los siguientes temas:**

V.1 Conceptos, factores y tácticas de negociación
V.2 Programa de negociación de Harvard
V.3 El proceso de la negociación
V.4 Ejercicios de negociación

**"Un poco de conocimiento operante vale infinitamente más
que un gran caudal de saber inactivo"
Khalil Gibrán**

# V.1 Conceptos, factores y tácticas de negociación

Conceptos de Negociación

*Dr. Herb Cohen*
La Negociación es un campo de conocimientos y esfuerzos que se enfoca principalmente en favorecerse de la gente de quien queremos cosas, tan sencillo como esto.

*Dr. Chester L. Karras*
En la vida como en los negocios no se obtiene lo que se merece, se obtiene lo que se negocia.

*Dr. Habib Chamoun*
La Negociación es un conjunto de causas y condiciones que repetidamente coinciden para transformar los intereses iniciales en términos finales con el objetivo de mejorar las posiciones en tiempo, costo y alcance de las partes.

## Negociación: Arte y Ciencia

La Negociación es un arte por lo creativo e instintivo y es una ciencia por la metodología. La sensibilidad de saber cuando el cliente está a punto de tomar la decisión final del cierre, el carisma, la astucia, la personalidad, la comunicación escrita y verbal, el lenguaje corporal, la química y el liderazgo son elementos del arte.

Existen varias tácticas comunes de negociación que se mencionarán en esta obra. El tener una serie de tácticas y una serie de aspectos de personalidad para negociar asegura un 50% de la probabilidad de éxito, el otro 50% lo asegura la metodología.

## Factores que afectan la Negociación

La mayoría de las personas no se atreven a negociar en diferentes situaciones especialmente por el miedo, por el simple hecho de no pedir, por una intimidación generada por varios factores indirectos de cada situación; o simplemente por no detenerse a pensar que podrían ceder o conceder que la otra parte aceptará.

Los factores que afectan la negociación son: el tiempo, los poderes y la información. El tiempo es lo esencial, ya que los vendedores están en una carrera contra el tiempo por cerrar las ventas y se olvidan del proceso de negociación hasta que llega el momento del cierre, en donde el que tiene el tiempo en su contra pierde o gana menos de lo esperado.

## Poderes de Influencia en la Negociación

Los poderes de influencia en la negociación vienen de varias fuentes como son las siguientes: Estándares, experiencia, educación, culturales, imitación, percepción, alternativas; tomar riesgos, competencia y precedente, entre otros.

## Los estándares

Los estándares dan un poder que se percibe como no negociable, ¡Sin embargo, todo es negociable!

Ejemplo: Un tabulador de salarios en las empresas dictado por las políticas y los valores del mercado establece un estándar en la industria por nivel de experiencia, grado de educación, etc. Este estándar al ser analizado es un promedio de la mezcla de empleados de la compañía, entonces se debería cuestionar al tratar de ser aplicado a un caso específico y negociarse.

## La experiencia y la educación

La experiencia y la educación son elementos que pueden crear intimidación al estar negociando con alguien de alto rango, pero la mejor manera de afrontarlo es conociendo al oponente. Con el simple hecho de conocer más de éste, se puede llegar más fácilmente a resultados favorables que de no saber nada de su currículum o de su empresa.

Detrás de un currículum impresionante o de una vasta experiencia, existe un ser humano con características semejantes a las nuestras, hay que encontrarlo y conocerlo para negociar y ganar ambas partes.

## La cultura

La cultura se refleja en la manera en que la gente reacciona a diferentes situaciones, por los hábitos que se ha formado debido a su entorno familiar y social.

La cultura es del individuo como la arena es de la tierra y la luz es del sol. Hay días en que no sale el sol completamente y hay lugares de la tierra donde la arena no es exactamente de la misma apariencia. La cultura es la manera como la gente reacciona a situaciones por hábitos que han creado de sus entornos familiares desde su infancia, y esta cambia de persona en persona.

Conocer la cultura de los demás, de dónde vienen y cómo reaccionarían en dadas circunstancias es importante para negociar. Hay culturas en donde la negociación es un juego divertido y hay culturas donde la negociación es más formal y es un mal.

## La imitación

La imitación da un poder de influencia muy poderoso sobre todo donde la otra parte siente que se está negociando con alguien con similares bases y entendimientos, da confianza.

## La percepción

La percepción es el todo en la negociación, cómo nos perciben o cómo percibimos es directamente proporcional a cómo actuamos en el proceso de la negociación.

## Negociación con alternativas

Entrar a una negociación con alternativas y diferentes planes de acción, nos da la flexibilidad de llegar a nuestro objetivo de manera más atinada que si no pensamos en opciones.

## Atreverse a tomar riesgos

En una negociación se deben de tomar riesgos de vez en cuando. Si están bien calculados nos posicionan en la jugada para alcanzar mayores márgenes de ganancias.

Jugar a la ruleta es un gran riesgo, pero puede dejar grandes ganancias. Así como la ruleta da vueltas y acaba en un sólo número, así se terminará en la negociación, es todo un proceso que empieza en un número y termina en otro, pero la magia es de saber cuándo tomar el riesgo dentro del proceso.

Algunas estrategias son de tomar este riesgo ya que se la ha invertido demasiado tiempo al proceso de la negociación; de esta manera la otra parte como ya ha invertido tiempo, más difícilmente nos deja ir, pero es la oportunidad de ganar un punto extra o varios.

## La competencia

El hecho de promover que nuestros clientes nos comparen con nuestra competencia nos da un poder de percepción increíble. Esto contribuye a tener confianza en nuestros productos o servicios al grado que podamos darnos el lujo de mandar a nuestros clientes con la competencia y de que regresen por el mismo camino que los enviamos haciendo la compra final con nosotros.

## El precedente

El precedente es parecido a un estándar de la industria, nos limitan a negociar hasta lo que está establecido por el precedente o por el estándar. Por esta razón, es necesario tratar de evitar precedentes por cualquier motivo, se escribe como leyenda al final del documento de negociación algo así como " No quisiéramos sentar precedente con este documento"…

## Fuentes de información

Las diferentes fuentes de información como las bases de datos en correo electrónico, son una valiosa herramienta para el negociador; estas fuentes bien investigadas generan conocimientos de nuestro entorno, de nuestro producto o servicio, de nuestro cliente o proveedor y de sus servicios y productos, así como del mercado, dándole armas a las partes para poder jugar el juego de la negociación lo más eficientemente posible.

## Tácticas de negociación

Existen tácticas comunes de negociación que se aplican en diferentes puntos del proceso mismo de la negociación. Entre las tácticas más comunes están las siguientes:

| Táctica | Función |
|---|---|
| El Bueno y el Malo | Uno establece la relación y el otro consigue el contrato. Sin embargo, existen ocasiones en que se tiene el Malo y como táctica hay que cambiar al Malo por un Bueno. Sobre todo en donde no existe una química aparente entre ambas partes. |
| Los Poderes limitados | Táctica comúnmente utilizada para ganar tiempo y no comprometerse para consultarlo con los superiores autorizados en dar mayores concesiones. ¡Déjame consultarlo con mi jefe! |
| El restante, la sobra o la migaja | Consiste en pedir algún detalle adicional de lo que se está comprando. Mi madre tenía una tienda de novias y desde muy pequeño le aprendí dos valiosos conceptos:<br>1) La Excelencia en la atención a clientes<br>2) La Calidad de sus servicios y productos.<br>Sus clientes llevaban cuando menos tres acompañantes al negocio de novias, pero todos eran atendidos como reyes y al final los enviaba con su competencia para que ellos mismos se convencieran de la calidad de sus productos.<br>La gente regresaba al negocio de mi madre y, además, les regalaba un accesorio de novias como un valor agregado, antes de que se lo solicitaran. Con estas tácticas mi madre nunca dejó de tener un gran número de clientes. |
| Participación Activa | Al estar participando en ambas partes activamente dentro de la negociación, se crea una sinergia increíble con un trabajo en equipo de tal manera que sola se da la solución ganar-ganar. |
| Petición de Ayuda | Cuando se pide a la otra parte que se ponga en nuestros zapatos y piense qué haría en nuestro lugar en una determinada situación, cómo vencería a nuestro jefe inmediato; cualquier gigante se hace pequeño por la naturaleza del mismo ser. |

*Nota final:*

Como estas tácticas de negociación existen otras que se refieren en la literatura, sin embargo, estas tácticas y estos factores no tendrían el impacto deseado si no entendemos el proceso de negociación y donde estamos parados con respecto a éste.

# V.2  Programa de negociación de Harvard

El concepto atrás de los trabajos de Dr. Roger Fisher, Dr. William Ury y colaboradores en el programa de negociación de Harvard  que mencionamos en este capítulo se basa en que debemos de negociar suavemente con la gente y duramente con la materia.  O sea debemos de separar a la gente de los problemas a la hora de la negociación. Esto es un reto en la cultura latina ya que nos cuesta trabajo separar al problema de la persona;  sin embargo con el fenómeno de la globalización debemos de saber negociar más eficientemente y este método funciona muy bien en ambientes multiculturales.

Otros conceptos en esta nueva ola de negociación se basa en negociar cuáles son los intereses de las personas y no las posiciones.  El interés yace atrás de la posición.  Tenemos que buscar y buscar para obtener el interés escondido atrás de la posición de la persona con quien estamos negociando.

Quizás nuestro interés al obtener un trabajo determinado es de adquirir experiencia en un área nueva.  Nuestra posición es de no aceptar menos de cierta cantidad de honorarios.  Si nuestro cliente conoce nuestro interés entonces tiene mayor oportunidad de negociar mejor nuestra posición.  Lo ideal es que se conozcan los intereses de ambas partes y se negocien en base a intereses y no posiciones.  A final de cuentas la posición es una barrera que no deja que se vea el interés.  La satisfacción de la partes proviene de la satisfacción de los intereses de ambos.  De ahí el concepto de negociación cooperativa en lugar de competitiva.

## Negociación de posición

La gente que negocia posiciones no logra a satisfacer sus intereses. Las posiciones pueden ser suaves o fuertes dependiendo del estilo del negociador. Las características de un negociador con posición suave y dura se mencionan a continuación (ver el libro "Getting to Yes" de Fisher y Ury).

| Suave | Fuerte |
|-------|--------|
| Participantes son amigos | Participantes son adversarios |
| Acuerdo es el objetivo | La Victoria es el objetivo |
| Hacer concesiones para cultivar amistad | Exigir concesiones |
| Suave con la gente y el problema | Duro con la gente y el problema |
| Confianza en otros | Desconfiar de otros |
| Cambio de posición fácilmente | Mantener su posición |
| Aceptar algunas pérdidas de un solo lado para llegar a un acuerdo | Demanda de ventajas para un solo lado como precio del acuerdo |
| Búsqueda de la respuesta que aceptará la otra parte | Búsqueda de la respuesta única que aceptará su parte |
| Insistir en llegar a un acuerdo | Insistir en su posición |
| Acerca a la presión | Aplica presión |

## 1. Negociación de principios: Gente

- Negociadores son gente a los cuales los mueven dos tipos de interés (ver Figura V.1)
    - Sustancia
    - Relación

Clave 1: Separar substancia de la relación (ver Figura V.1)

- Técnicas Psicológicas
    - Percepción
    - Emoción
    - Comunicación

| Suave | <SEPARAR> | Fuerte |

RESOLVEDOR DE PROBLEMAS

Figura V.1 La Negociación del Dr. Roger Fisher y Dr. William Ury se basa en resolver
el problema sin mezclar a la persona

## 2. Negociación de principios: Interés

- Reconciliar intereses, no posiciones (ver Figura V.2)
- Para identificar intereses de los demás debemos hacernos
  las preguntas ¿Por qué?, ¿Por qué no?
- Necesidades básicas humanas de Maslow
  - Seguridad
  - Sustento económico
  - Sentido de pertenencia
  - Reconocimiento
  - Control de su propia vida
- Guía para hablar de sus intereses
  - Hacer una lista de ambas partes
  - Hablar de sus propios intereses
  - Ser específico
  - Reconocer el interés de la parte opuesta como parte
    del problema
  - Ver hacia delante no hacia atrás
  - Flexible pero concreto

Figura V.2 La Negociación del Dr. Roger Fisher y Dr. William Ury se basa en
negociar sobre intereses y no posiciones

## 3. Negociación de Principios

Este tipo de negociación del Dr. Roger Fisher y Dr. William Ury está basada en separar a la persona del negocio, en negociar intereses en lugar de posiciones;  en dar varias opciones al negociar en lugar de una sola respuesta; en criterios objetivos en lugar de aplicar presión.

Figura V.3 La Negociación del Dr. Roger Fisher y Dr. William Ury se basa en tener opciones en lugar de una sola respuesta

## 4. Pasos para inventar opciones

La figura V.4 es clásica para la invención de opciones. Primero observamos el problema, luego lo analizamos para ver que estrategias seguir para ver que se puede hacer y finalmente tomamos nota de las acciones y tácticas en la práctica para solucionar el problema.

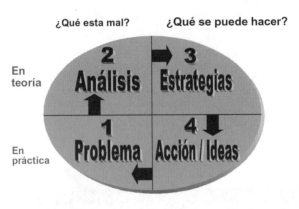

Figura V.4 Clásica metodología de invención de opciones

## Metodología

Los criterios objetivos se encuentran en la razón, en referencias del mercado y en los principios básicos de negocios.

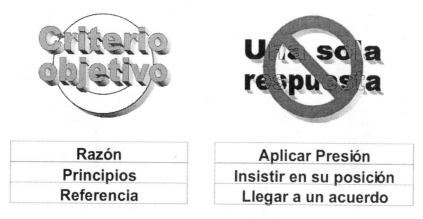

| Razón |
|---|
| Principios |
| Referencia |

| Aplicar Presión |
|---|
| Insistir en su posición |
| Llegar a un acuerdo |

Figura V.5 La Negociación del Dr. Roger Fisher y Dr. William Ury se basa en criterios objetivos.

En resumen la metodología de Negociación del Dr. Roger Fisher y Dr. William Ury se basa principalmente en los siguientes pasos:

| Paso | Acción |
|---|---|
| 1 | Separar a la gente del problema |
| 2 | Enfocarse en intereses no en posiciones |
| 3 | Inventar opciones para ganar mutuamente |
| 4 | Insistir en usar criterio objetivo |

## Competitivo vs........ Cooperativo

Está comprobado que la negociación exitosa ya no es una competencia entre las partes si no es la resolución de problemas de manera cooperativa ver (Figura V.6).

**Negociación competitiva** ➡ **Negociación cooperativa**

De competir a cooperar

**Tácticas competitivas**

**Tácticas cooperativas**

Figura V.6 Negociación Competitiva vs. Negociación Cooperativa

## Fases en Resumen

El proceso de negociación se puede resumir en las siguientes fases:

| Fase | Función |
|---|---|
| Pre-negociación | Prepararse; definir objetivos y estrategias |
| Primeros contactos | Promover Relación positiva con el adversario, y Re-definir estrategias iniciales |
| Negociación Gruesa y Fina | Aplicar las tácticas y técnicas de negociación |
| Post-negociación | Cerrar acuerdos |

## Zona de Descuentos

La diferencia entre el rango de descuentos del comprador y el rango de descuentos del vendedor nos da la zona de descuento dentro de la cual se puede negociar. Esta zona se da cuando el precio meta del vendedor es menor al punto de resistencia y a la meta del comprador (ver Figura V.7).

Figura V.7 Zona de descuentos positiva

## Zona de Descuentos Negativa

La diferencia entre el rango de descuentos del comprador y el rango de descuentos del vendedor es negativa cuando el precio meta del vendedor es mayor al punto de resistencia y a la meta del comprador (ver Figura V.8).

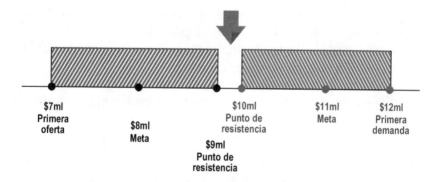

Figura V.8  Zona de descuentos negativa

## Determinando nuestra propia zona de descuento

Antes de cualquier negociación debemos determinar cual es el precio meta con el que queremos salir de la mesa de negociación.  Al saber el precio meta podemos calcular cuanto debe de ser la primera oferta y el precio por el cual nos levantamos de la mesa sin llegar a un acuerdo, éste es el punto de resistencia (ver Figura V.9).

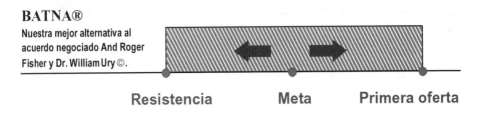

**BATNA®**
Nuestra mejor alternativa al acuerdo negociado And Roger Fisher y Dr. William Ury ©.

**Resistencia          Meta          Primera oferta**

Figura V.9 Nuestra Propia Zona de Descuentos

## Guía para concesiones

- Siempre disminuir la cantidad lentamente y de poco en poco
- Concede sólo después que la otra parte concedió: No dar sólo por dar
- Utilizar concesiones de cosas que no sirvan pero pretender que son importantes y de valor para ti
- Dificultarle a la otra parte la obtención de una concesión de esta manera será mayor valorada
- Aclarar que cada concesión que se hace es con el único objetivo de llegar a un acuerdo de todos los puntos a discutir

# V.3  El proceso de la negociación

El proceso de negociación es una metodología, es la sistematización mental de una serie de condiciones y causas que nos llevan de una etapa inicial a los términos finales con el fin de mejorar las posiciones de tiempo, alcance y presupuesto (ver Figura V.10).

Este proceso consiste en cuatro grandes fases:

1. Pre-Negociación
2. Negociación Gruesa
3. Negociación Fina
4. Post-Negociación

El objetivo es saber en qué etapa nos encontramos en determinada situación y saber qué podemos hacer, qué tácticas utilizar para poder ubicar nuestros esfuerzos eficientemente.

Figura V.10 Etapas del Proceso de Negociación

## Pre-Negociación

La base principal de esta fase es empezar a conocer cuál es el verdadero interés detrás de la posición de las partes. Para esto se recomienda cuestionar a las partes con mucha creatividad hasta que se llegue al interés real.

Esta fase es de escucha sobre todo. Se investigan ambas partes a fondo. Se hacen preguntas sin comprometerse. Ambas partes exploran y buscan una lluvia de ideas. ¿Qué pasaría sí...? ¿Cuáles serían los puntos a ceder?. La crítica de ideas no se recomienda en esta fase, especialmente para evitar que las ideas dejen de fluir. En otras palabras esta es una fase de simulación de la negociación, de invención de opciones, de expandir posibilidades de llegar a un acuerdo.

Se recomienda:
- Promover la tormenta de ideas
- Entrevistar a las partes que formarán el equipo de negociación
- Conocer a quién forma parte a priori.

**Negociación gruesa**

Es típico que en esta fase la mayor parte de los negociadores exitosos, concedan la mayor parte de los puntos que no son tan importantes como estrategia inicial y en la siguiente fase ya no se concede prácticamente nada. Ésta no es una regla general, incluso hay quienes toman la estrategia contraria, dan pocos puntos al principio y cambian al final.

Se recomienda:
- Entender la posición de la otra parte
- Seguir cuestionando para encontrar el interés
- Dar opciones preguntando
- Tener la creatividad de invención de opciones
- Comparar con los estándares de la industria en cuestión
- Entender el factor humano
- Tener alternativas (Plan B por si falla el Plan A)
- Identificar los puntos importantes del cliente
- Escuchar pro-activamente
- Dejar los puntos más difíciles para la negociación fina

## Negociación fina

Esta es la fase de los pequeños detalles que hacen que se dé o no la negociación, de esta fase depende si fue eficaz la negociación o no.

Se recomienda:
- Revisión de abogados de ambas partes
- Negociar los puntos más difíciles
- No presionarse
- Llegar a un acuerdo preliminar.

## Post-Negociación

Esta fase es la del papeleo, primera piedra y formalización.

Se recomienda:

- Terminar adecuadamente ya que todo mundo quiere empezar los trabajos y se olvidan del archivo
- Se cierren los últimos detalles
- Se mantenga un archivo de lecciones aprendidas para futuras negociaciones.
- Se realicen entrevistas con el cliente con la finalidad de detectar aspectos a mejorar y errores cometidos durante el proceso de la negociación

## Negociación exitosa

Las Bases para lograr una negociación exitosa son:
- Moderación
- Objetividad
- Capacidad analítica
- Paciencia
- Saber trabajar en equipo

- Coordinación
- Tener el tiempo de su lado
- Flexibilidad
- Adaptabilidad
- Habilidad de ponerse en los zapatos de otro (empatía)

**Triunfo en una negociación**

Para salir triunfante de una negociación se necesita:

- Pensar positivo
- Conocimiento de fondo
- Estar en el momento adecuado
- Invertir tiempo y recursos
- Tener una gama de estrategias
- Tener mente abierta
- Flexibilidad
- Convencerse a sí mismo
- Tener seguridad de sí mismo

# V.4 Ejercicio de negociación

Éste es un ejercicio con la intención de que el lector piense en todos los factores que deben de influenciar la decisión de su cliente al hacer una compra. Éste es un caso complejo en donde un cliente requiere de una bodega para almacenar sus productos para distribuirlos en la zona norte del país. Tal vez exista una bodega, quizás deba construirse, tal vez se le rente o venda. Tal vez requiera de inversionista, tal vez no ¿Qué requiere este inversionista para llevar a cabo este proyecto? Tal vez usted tenga un negocio de decoración de interiores y piense ¿Para qué necesito apoyar a este cliente desde su concepción ya que para esto hay expertos de bienes raíces?

El punto es que los vendedores de hoy en día deben de pensar como Desarrolladores de Negocio y poder apoyar con ideas a su cliente desde la concepción del proyecto.

## Desarrollo de Negocios Industrial

## Ejercicio de Negociación: Proyecto de construcción industrial

**CASO DE ESTUDIO**

 Usted acaba de encontrarse con la oportunidad de negocios de ayudar a un inversionista extranjero a establecer su operación industrial en Monterrey:

- El inversionista no sabe ni por dónde empezar
- El inversionista sólo sabe que requiere de un espacio en una nave industrial o quizás la construcción de una nave para llevar a cabo sus operaciones en Monterrey
- Participar en grupos para poder determinar qué factores son importantes para definir el alcance del negocio y cuáles son las alternativas que podría tener este inversionista
- Piense en la oportunidad de vender o rentar un negocio a este inversionista

*Terreno*
- Características técnicas y logísticas: ubicación, permisos y licencias, subdivisión, demografía, etc.
- Factibilidad de servicios: Potencia CFE, planta tratamiento $H_2O$ y aguas residuales, infraestructura para gas, fibra óptica
- Factibilidad del terreno: precio, uso de suelo
- Libertad de gravamen y autoridades

*Necesidades del cliente (renta / venta)*
- Bodega industrial 5,000 m$^2$
- Distribución y manufactura
- Oficinas 200 m$^2$
- Área de maniobras
- Estacionamiento
- Andenes de carga y descarga
- Altura máxima
- Capacidad de carga estructura
- Fuera o dentro de parque industrial

*Perfil del inversionista (institucional / privado)*
- Experiencia
- Imagen / Solvencia / Seriedad
- Apalancamiento
        ¿De dónde?, Fuentes de financiamiento
- Expectativas de retorno
- Políticas de financiamiento

*Características específicas del proyecto*
- Layout básico
- Cuestionario de necesidades del cliente
- Diseño preliminar
- Presupuesto paramétrico
- Expectativas de tiempo

*Características contratista general*
- Experiencia
- Solvencia
- Reputación
- Gerencia se amortiza vía rentas
        Se paga sola, costo de desarrollo

*Características Desarrollador de Negocios*
- Hombre orquesta
    Visión global
- Conocimiento global del proyecto
- Ingeniería financiera
    Evaluación económica del proyecto
- Asegurador de calidad y consistencia de todas las partes
  integrantes del proyecto
- Costo del proyecto
    Se paga solo, se amortiza vía rentas

*Evaluación económica del proyecto*

- *Costo paramétrico de la construcción =CPC*
- *Costo del terreno = CT*
- *Costo de licencias y permisos = CLyP*
- *Costos de desarrollo = CD*
- *Costos de mantenimiento = CM*
- *Costo gerencia de proyectos =CGP*
- *Costo de capital =CC*
- *Costo del Desarrollador =CDES*
- *Costo arquitecto = CA*
- *Costo Total de Inversión = CTI=CPC+CT+CLyP
  +CD+CGP+CC+CDES+CA+CM*
- *Expectativa RINV, Retorno de Inversión*
- *TA= Taza de amortización*
- *Renta mensual = f(CTI, RINV, TA)*
- *Venta VPN (Valor Presente Neto), TA, TC (Taza capitalización)*

**"A menudo, el modo en que se plantea un problema
importa más que su solución"
Albert Einstein**

# APÉNDICE

*"Si cierras la puerta a todos los errores dejarás afuera a la verdad"*
*Radindranath Tagore*

## A1. Factores clave del éxito en procesos de negociación

- La cultura como factor clave en la negociación
- El Índice de Éxito de la Oportunidad

## A2. ¿Por qué las pequeñas empresas no planean sus estrategias?

## A.3. Características que debe tener un plan de negocios

## A.4. Complementos

- Casos de la Metodología de Ventas CHAMOUN®
- Cuestionario de Observación de Proceso y Metodología de Ventas CHAMOUN®
- Instrumento de Autodiagnóstico Reflexivo de la Metodología de Ventas CHAMOUN®
- Referencias Bibliográficas
- Reconocimientos

# A.1 Factores clave del éxito en procesos de negociación

El Desarrollo de un negocio en la actualidad es una actividad compleja, como hemos visto en este libro. Antes de desarrollar un negocio debemos de considerar a los elementos que afectarán el desempeño del mismo. Estos cuatro elementos son: el Desarrollador de Negocios (Negociador), la Oportunidad Específica del Negocio, el Entorno y la Cultura , ver figura anexa.

Figura A.1. Los factores que afectan positiva o negativamente en el Desarrollo de Negocios

En base a observaciones de vendedores exitosos, nos hemos dado cuenta que el éxito en el desarrollo y cierre del negocio, depende de al menos en un 40% del propio Desarrollador de Negocios, (Negociador). Esto es, de sus habilidades y conocimientos, de los procesos de planeación, mercadotecnia, ventas, negociación que se mencionaron en este libro. De ser metodológico, de planear antes de actuar, de pensar antes de proponer, de prepararse a través de todas las fases del desarrollo del negocio, de planear la venta y aumentar el poder de la negociación. Por todo esto, hemos introducido los cuatro tipos de vendedores CHAMOUN® en este libro. Este ejercicio, debe de tomarse como un análisis para ver qué podemos mejorar y qué debemos de continuar haciendo bien.

Otro elemento, que asegura el éxito en los negocios, es el cuidadoso análisis de la oportunidad de negocios, el saber si existe oportunidad, si podemos participar / competir, si podemos ganar, si vale la pena, si es estratégico, el entender a los tomadores de decisión, quien los influye, si existe algún consultor externo, o interno en la organización del cliente. Aquí, es importante hacer un repaso mental de las 10 P´s de la metodología y ver para una oportunidad específica, qué pasos nos estamos saltando o qué nos hace falta conocer, para poder pensar estrategias de captura de esta oportunidad de negocios.

Está comprobado por estadísticas, que de cada 10 prospectos solo uno se convierte en cliente nuestro. El seguir una metodología, nos ayuda a descartar desde muy temprano en el proceso, a los prospectos que nunca se convertirán en nuestros clientes, y a buscar candidatos viables y de esta manera aumentar el porcentaje al menos a un 30%. Esto indica, que para ser exitoso ya no solo es suficiente trabajar duro y arduamente, sino que debemos de trabajar inteligentemente.

El entorno, es otro factor que puede tener un x% de impacto para que se realice o no nuestro proyecto. Por un lado, existen fuerzas sobre las cuales no tenemos un control, de las que no hablaremos aquí.

Las fuerzas opuestas o de atracción del entorno, que pueden afectar el desempeño de nuestro cierre del negocio, y que podemos conocer y planear estrategias para ganar son: la competencia, el cliente, el mercado, nuevos ingresos, productos sustitutos. Por esto, para cualquier oportunidad específica, es muy importante conocer la competencia, sus debilidades y fortalezas, al cliente, nuestras debilidades y fortalezas percibidas por el cliente, así como al mercado y la importancia de nuestro proyecto dentro de este mercado.

Con todo esto, desarrollaremos el Perfil del Cliente y de la Competencia para luego escribir las estrategias que nos asegurarán el éxito desde la prospección hasta el cierre.

Si pensamos que solo es suficiente contar con un excelente Desarrollador de Negocios, un análisis de fondo de la oportunidad y del entorno para llegar al cierre exitoso del proyecto, podemos llevarnos grandes sorpresas, sobre todo cuando en el proceso de desarrollo de negocios, participan diferentes culturas o bien personas de diferentes entornos empresariales, de diferentes países o de diferentes regiones dentro de un mismo país.

Nos hemos percatado, que cada cultura posee diferentes actitudes y comportamientos de negocios. Si queremos negociar y desarrollar negocios con diferentes culturas, se necesita entender, si esas diferencias son de actitud o comportamiento, ya que éstas son menos difíciles para negociar que cuándo existen diferencias en valores y principios. Como dice el Dr. Jeswald Salacuse del Programa de Negociación de Harvard, es más difícil negociar valores que normas, y se facilita más negociar comportamientos o actitudes entre las diferentes culturas.

## La cultura como factor clave en la negociación

Como dice el viejo dicho ¨En Roma como los Romanos.¨ Solo que agregaríamos sin cambiar los valores.

La intención de traer a la cultura a colación, es que con la globalización se ha convertido en un factor muy importante, que tiene un gran impacto en la toma de decisión de un desarrollo de negocios global. (Y% según nuestro modelo, figura A.1).

## Negociar con mexicanos es hacerlo con múltiples culturas

*La investigación sobre el estilo de negociación y la cultura mexicana con base en el modelo del Dr. Jeswald Salacuse*

A la hora de negociar cualquier cosa, desde el precio de algo en la economía informal hasta un contrato por millones de dólares, todas las personas tienen un estilo propio, que es resultado de su infancia, su entorno familiar, su profesión, la cultura empresarial… en suma, de las demás experiencias de vida de la persona.

Ciertos factores que puedan afectar las habilidades y estilo de negociar se manifiestan en varias ocasiones por las condiciones en que se han obtenido bienes y beneficios en la vida. Algunas personas se llenan de vergüenza para pedir algo porque regularmente lo han tenido todo, en otras, el ego les impide ceder o aceptar acuerdos.

Si además observamos el entorno, con historias de abuso de poder y de casos de que gana el mas fuerte sobre los demás, no por ser mejor negociador, sino tal vez por tener información privilegiada entre otras cosas, podremos entender de forma más clara las tendencias de negociación que veremos mas adelante.

En los últimos 10 años, la negociación como práctica metodológica ha obtenido mayor atención, debido a que los proyectos involucrados son más complejos, los jugadores son globales y múltiples, la competencia es mayor y el cliente está más informado.

Hemos pasado de tácticas y artimañas, a métodos de negociación y de toma de decisión, teoría de juego, análisis de alternativas, y hasta los conceptos de negociación de principios, en donde ambos ganan y no solo el dinero está en juego sino la honestidad y ética de las partes. En el presente, se requiere entender otras culturas, tácticas y procesos de negociación para obtener mejores beneficios para ambas partes.

El individuo con poder de negociación es el que conoce y practica con valores y ética, el arte y la ciencia de la negociación, porque las negociaciones ya no son a corto plazo: los que cuentan son los clientes repetitivos y a largo plazo.

Es tan fundamental entender, cómo negocian otras culturas para poder llegar al éxito en las negociaciones globales, como lo es conocer el estilo de los mexicanos en particular.

A continuación se presentan algunos resultados de una investigación que realizamos acerca de los 10 factores que afectan la cultura y el estilo de negociación aplicando el esquema de análisis de negociaciones interculturales del Dr. Jeswald Salacuse.

Los diez factores que afectan el estilo de negociación de acuerdo al Dr. Jeswald Salacuse:

*1. Meta de la negociación (¿Contrato o relación?)*

¿Se está negociando para conseguir específicamente un contrato, o se está negociando para desarrollar una relación a largo plazo?

*2. Actitud hacia la negociación (¿Ganar-Perder o Ganar-Ganar?)*

En la actitud ganar-ganar, ambas partes buscan asociar las metas o negociar hasta que se logre un beneficio mutuo o integral. En la otra opción, una de las partes debe de ceder aspectos significativos para lograr el trato.

*3. Estilo Personal (¿Informal o Formal?)*

Un negociador formal procura dirigirse a los participantes por sus títulos y evitar tratos muy familiares o personales. El negociador informal busca una relación más amigable y personal, tratando de crear un ambiente casual y confortable para la negociación.

*4. Comunicación (¿Directo o Indirecto?)*

La comunicación directa se refiere a aquella que utiliza frases directas, simples y contundentes para definir situaciones. La comunicación indirecta asume que la otra parte tiene un nivel de educación y/o comprensión significativamente alto, de tal modo que prefiere utilizar rodeos o "entrelíneas" o insinuaciones para expresar una opinión o una decisión.

## 5. Sensibilidad al tiempo (¿Alto o Bajo?)

Una sensibilidad alta por el valor del tiempo refleja un fuerte apego a la puntualidad y formalidad en los compromisos para la toma de decisiones y cumplimientos. La baja sensibilidad indica mas bien mayor flexibilidad en cambios de fechas importantes y menos puntualidad para citas, etc.

## 6. Importancia de las emociones (¿Alto o Bajo?)

Los negociadores pueden demostrar o ocultar sus emociones. Algunos negociadores tratan de esconder cualquier sentimiento, en cambio otros no dudan en demostrar sus respuestas o decisiones emocionalmente.

## 7. Formato de acuerdos (¿Específico o General?)

Un formato específico se refiere a la redacción detallada de todos los aspectos relacionados con el trato. Los contratos generales no cubren todos los puntos y se dejan intencionalmente abiertos para continuar la relación.

## 8. Desarrollo de acuerdos (¿Abajo-Arriba o Arriba- Abajo?)

Hay estilos que prefieren comenzar la negociación con términos generales, y en el camino, atacar los puntos específicos, este es un estilo "de arriba hacia abajo". Otros prefieren primero definir todos los puntos específicos del trato y dejar hasta el final el contexto general; este es el estilo "abajo hacia arriba".

## 9. Organización de equipos(¿Un líder o Consenso?)

En algunas culturas, las decisiones de grupo son tomadas por un líder de absoluto, de un modo más autocrático. En otras, hay una tendencia a encontrar soluciones y conclusiones en equipo.

## 10. Capacidad de correr riesgos (¿Alto o Bajo?)

Los negociadores con alta capacidad de correr riesgos realizan negocios con mayor grado de incertidumbre. En cambio, los de una baja capacidad de riesgo, esperan conocer todos los detalles y evitar cualquier complicación que se pudiera presentar antes de cerrar cualquier trato.

## La cultura de negociación en México

La investigación realizada en México se llevó a cabo con personas de diferente sexo, actividades económicas, profesiones, grupos de edad, así como diferentes regiones del país. A continuación se describen en forma general conclusiones sobresalientes obtenidas con información de 600 encuestados.

Los resultados presentados a continuación son preliminares y no son estadísticamente rigurosos, por lo que no deben inferirse reglas ni esterotipos. Posteriormente se presentarán resultados y conclusiones exhaustivas.

## *Factor 1 ¿CONTRATO o RELACION?*

Los más enfocados en "contratos" fueron los abogados, con más de un 70% de los entrevistados favoreciendo esta opción, los burócratas con 60%, los profesionistas con carreras científicas o tecnológicas con un 43% y el grupo de mujeres empresariales con un 32% (o sea que es más importante para este último grupo la relación que el contrato.)

Se observa la influencia del área geográfica en este factor. En ciudades como México D.F., Monterrey y Guadalajara el "contrato" es más favorecido; para ciudades como Veracruz y Mérida (en el sur de México) la "relación" es de mayor importancia.

Tradicionalmente, la cultura en México no es de contratos, es una cultura de relaciones. Posiblemente la razón por la que en regiones de México con mayor desarrollo urbano y mayor dinamismo económico el contrato es más importante que la relación, es debido a la mayor exposición de estas ciudades a culturas extranjeras, corporativos globalizados, riesgos por el volumen de los recursos invertidos, etc. En estos casos se hace fundamental el poner en "blanco y negro" los acuerdos y prevenir consecuencias o evitar posibles riesgos. Sin embargo hay otras regiones de México donde un fuerte apretón de manos da mayor seguridad en la negociación de ambas partes que un contrato firmado.

### Factor 2 ¿GANAR- GANAR o GANAR-PERDER?

La investigación que realizamos demuestra que más de un 80% de mexicanos tienen la actitud ganar-ganar. Sin embargo aun existe la parte que no piensa si ambas partes van a ganar (o perder) solo le interesa ganar a cualquier costo. Para la mayoría de los mexicanos entrevistados está claro que la negociación debe de ser ganar-ganar, aunque el grupo de burócratas entrevistados fue la excepción de la regla: más de un 45% piensan en negociaciones son ganar-perder.

En algunos casos, se ha detectado que el impacto emocional en la cultura mexicana afecta al extremo de no importar si se pierde una negociación con la condición de que la otra parte no gane.

### Factor 3 ¿INFORMAL o FORMAL?

Un 55% del grupo de profesionales en áreas de tecnología o científicos, mostraron preferencia por las negociaciones informales; así mismo el grupo de mujeres empresariales con un 43%. En general, la cultura de negociación es más informal en los pequeños y medianos empresarios. Los burócratas mostraron favorecen negociación formal en un 62%.

### Factor 4 ¿DIRECTO o INDIRECTO?

El grupo de mujeres empresariales mostró un 89.5% de preferencia en realizar una negociación en forma "directa", los burócratas un 80%, los científicos un 75% y las personas con carreras administrativas un 30% (o sea, son más indirectos al negociar).

**Factor 5** *SENSIBILIDAD AL TIEMPO*

La sensibilidad al tiempo muestra ser favorecida por el grupo de mujeres empresariales con un 73%, 82% los científicos, y un 70% los abogados. En el caso de los burócratas, sólo un 56% mostraron sensibilidad alta a la puntualidad.

Se observó un mayor efecto de esta variable en función del área geográfica. En México D.F., Guadalajara, y Monterrey se encontró mayor sensibilidad al tiempo que en regiones como Veracruz y Mérida.

La puntualidad es una área de oportunidad. Para otras culturas, el llegar fuera de tiempo provoca una percepción de falta de respeto y de interés, o bien falta de compromiso.

**Factor 6** *SENSIBILIDAD A EMOCIONES*

El grupo de mujeres mostró en una alta sensibilidad a las emociones (68%). En otro extremo, los patrones de empresas pequeñas y medianas mostraron un 30%, indicando que la mayoría muestra baja sensibilidad a las emociones. Por la naturaleza latina y propia de la mujer, en general se considera normal que la sensibilidad a las emociones de este grupo sea alta.

**Factor 7** *¿ESPECÍFICO o GENERAL?)*

El grupo de mujeres (70%), de abogados (90%) y de burócratas (90%) mostraron preferir ser específicos en el momento de negociar; en otro extremo, los patrones de pequeñas y medianas empresas (30%) mostraron que prefieren negociar de manera general.

Por la naturaleza de su trabajo los abogados se fijan en el detalle sobre todo en el proceso de negociación de contratos y se enfocan en lo específico. Los burócratas entrevistados están relacionados con trabajos financieros de análisis por lo que sus trabajos requieren mentalidad de análisis a detalle y específico.

**Factor 8** *¿ABAJO-ARRIBA o ARRIBA –ABAJO?*

Los resultados del Factor 8 fueron similares a los del factor 7.

**Factor 9** ¿LIDER o CONSENSO?

A pesar de que el grupo de mujeres y abogados mayormente (55%) toman decisiones un solo líder, la mayor parte de las muestras mostraron que para tomar la decisión en una negociación prefieren el consenso.

**Factor 10** CAPACIDAD DE TOMAR RIESGO

El grupo de mujeres y los patrones de pequeñas y medianas empresas demostraron preferencia en la capacidad de tomar de riesgos con un 72%. En el caso de los empresarios medianos y pequeños, su naturaleza de emprendedores comprende la capacidad alta de tomar riesgos.

Los burócratas demostraron baja capacidad en toma de riesgos (48%).

**Las diferentes generaciones y la cultura de negociación Mexicana: algunos perfiles típicos de las muestras**

*1. El hombre empresario y profesionista joven*

Estilo de negociar duro y toma de decisiones con bases lógica, es más fácil de convencerlo con datos siempre y cuando denoten un beneficio tangible a mediano y largo plazo para su empresa. Busca las negociaciones Ganar-Ganar, está más enfocado al contrato que a la relación, y se prefiere lo general a lo específico.

*2. La mujer empresaria y profesionista joven*

Toma de decisiones lentamente, es cautelosa. Necesita tener todos los ángulos cubiertos antes de llegar a un acuerdo. Su estilo de negociación es más enfocado a lo específico que a lo general. Se fija en los detalles, es importante el contrato pero más la relación.

### 3. Empresario mayor a los 50 años sin estudios universitarios

Duro negociador, le interesa mas la relación que el contrato. Toma de decisiones sobre la base de impulsos, y luego las justifica con lógica.

## Las diferentes zonas geográficas en México y la negociación

En general, en el centro y sur de México predominan la relación sobre el contrato y son mas indirectos al negociar. En el norte en general es más la influencia del contrato sobre la relación, y la manera directa de negociar.

## Algunas conclusiones

Es muy importante entender la cultura de hacer negocios, tanto para tener mayor éxito en los negocios, como para enfrentarnos a un mundo globalizado. Explorar las fuerzas y debilidades de cada cultura nos da herramientas para ser mejores.

El desarrollo de un negocio consiste en intuición y olfato, pero también en una educada comprensión de las variables que lo afectan. La cultura es fundamental, ya que no solo negociamos en un contexto empresarial, sino también personal.

Las diversas actividades y formaciones profesionales afectan el estilo de negociación, así como la edad y el sexo. Estar informados plenamente de estas características nos hace mejores profesionales y humanos.

## El Índice de Éxito de la Oportunidad

Con todos estos conceptos culturales, debemos de entender qué es lo más importante para la otra cultura y si hacemos la tarea podremos llegar a tener múltiples proyectos, con múltiples culturas y el contexto será cada día más rico y abundante.

Si ponemos todo esto en una ecuación, podríamos decir que el desarrollar un negocio exitosamente depende el 50% de todos los aspectos que tienen que ver con el asunto en cuestión: oportunidad de negocios, entorno, competencia, necesidad del cliente; y el otro 50% con el desarrollador de negocios, sus habilidades y conocimientos, la sensibilidad y conocimiento de la cultura con la que está lidiando. Este desarrollador de negocios lo podemos dividir en tres categorías para simplificar y resumir el proceso de la venta: ¨el Abridor¨ (A), el ¨Relacionador¨ (R ) y el ¨Cerrador¨ (C ).

Lo ideal es tener estas tres categorías en una sola persona, " El Desarrollador de Negocios", sin embargo en el mundo real, existen ocasiones, en donde la empresa tal o cual, solo tiene abridores de puertas, o bien relacionadores y no cierran ningún negocio, y otras empresas por el contrario, solo tienen cerradores excelentes y no tienen las características de un abridor o de un relacionador.

El abridor, como su nombre lo indica, es aquella persona que tiene la habilidad de abrir puertas en la empresa de nuestros clientes potenciales.

El relacionador, es quién puede seguir la relación y nuestro cliente siempre disfruta de la compañía de éste.

El cerrador, es quién su único objetivo, es de llegar a un acuerdo con nuestro cliente y no necesariamente se enfoca en la relación, o en la apertura de puertas.

Podríamos decir qué si no tenemos las tres características en una persona, (las cuáles se pueden desarrollar), debemos de contar con un equipo de dos o tres personas que reúnan estas características y la ecuación de desempeño puede ser algo como lo siguiente: Del 50% del impacto en el desarrollo del negocio, de las tres características, digamos que del abridor depende un 5%, del relacionador un 20% y del cerrador un 25%.

Entonces podemos pensar en un índice de éxito (IEO) por prospecto de la siguiente manera.

$$\text{Índice de éxito de la oportunidad (IEO)} = \frac{\begin{array}{c}\text{PEDDN}\\ (\text{ Peso del abridor +}\\ \text{Peso del relacionador +}\\ \text{Peso del cerrador})\end{array}}{\begin{array}{c}\text{PEON}\\ (\text{Peso específico de la oportunidad del}\\ \text{negocio})\end{array}}$$

EL PEDDN, es el peso específico del desarrollador de negocios ("La Persona"), y depende de las habilidades y conocimientos del mismo o del grupo de personas que forman parte del desarrollo de negocios: el abridor, el relacionador y el cerrador.

El PEON, es el peso específico de la oportunidad de negocios, ("El Negocio") y depende directamente de la oportunidad de negocios misma y su calificación viene de la metodología de ventas CHAMOUN®

Con el IEO calificamos tanto a "La Persona" como "El Negocio" y más adelante se muestra como llegar a esta calificación.

Si el índice (IEO) es igual a uno (1), esto quiere decir que tenemos una probabilidad muy alta de cerrar el negocio, solo dependerá de factores fuera de nuestro control, el que no se cierre.

Si el índice (IEO) es menor que uno (1), quiere decir que debemos de tener un mejor Desarrollador de Negocios y debemos de cambiar a los que tenemos, o bien entrenarlos para moverlos del tipo de vendedor en el que se encuentran, hasta llegar a formarlos como Desarrolladores de Negocios ideales, a través de capacitación y entrenamiento para asegurar el cierre exitoso de la oportunidad. Entre más cercano esté el índice (IEO) al valor de cero, más trabajo nos costará cambiar a un vendedor tipo Mente en Blanco a ser vendedor tipo Desarrollador de Negocios Ideal.

Si el índice (IEO) es mayor que uno (1), quiere decir que muy probablemente no exista oportunidad de negocios, aún cuando tengamos a un excelente desarrollador de negocios. Si el índice (IEO) tiende a infinito, o sea si el denominador, (el PEON es igual a cero), entonces definitivamente no debemos de participar en esta oportunidad de negocios, o perdemos nuestro tiempo y recursos.

Nota: Es importante mencionar que el modelo de cálculo de este índice es de carácter empírico. Su rigurosidad estadística está siendo probada para ajustar el modelo a situaciones reales adecuadas y de cada industria.

### ¿Cómo se calculan los índices PEDDN y PEON?

*Primer paso:*

Por un lado, el PEDDN se obtiene de la suma de dos pesos específicos: P1 y P2, y de la división de estos pesos entre la suma de los valores máximos de P1m y P2m , o sea:

PEDDN = (0.5 % )* (P1 + P2) / (P1m + P2m)

Calcular P1 y P1m de la siguiente manera:

P1 es obtenido al sumar todos los valores positivos, P+, que resultan al aplicar el cuestionario de observación de proceso y metodología de ventas CHAMOUN®, observando al vendedor en el campo de acción con su cliente. Este cuestionario, se encuentra en el apendice de este libro. El máximo número de valores positivos al observar al vendedor es P1m, P1m es igual a 38.

*Segundo paso:*

Calcular P2 y P2m de la siguiente manera:

P2 y P2m son obtenidos del ejercicio de los tipos de vendedores CHAMOUN® de la página 74, siguiendo los pasos de este ejercicio debemos de marcar el número de aseveraciones de cada uno de los cuatro ejes I, II ,III y IV. Es decir, debemos de contar, el total de espacios en donde marcamos, debido a que estamos de acuerdo con la frase en cuestión.

Por ejemplo, si nos referimos a la primera pregunta del eje III en la página 74, ¨No tiene a sus clientes por categoría (A, B, C)¨ y estamos de acuerdo, entonces se marca el espacio en blanco con una x, al lado de la frase y así sucesivamente, y luego se suman todos los espacios marcados con x, y se escriben en el enunciado que lleva por título RESULTADO.

P2 es la suma del número de espacios no marcados con x, en los ejes III, y II, más el número de espacios marcados con x, en los ejes IV y I.

$$P2=(NNXIII + NNXII + NXIV + NXI)$$

Donde:

NNXIII = Suma del número de espacios no marcados con x, en el eje III
NNXII= Suma del número de espacios no marcados con x, en el eje II
NXIV= Suma del número de espacios marcados con x, en el eje IV
NXI= Suma del número de espacios marcados con x, en el eje I

*Tercer paso:*

Calcular el PEDDN de la siguiente manera:

$$PEDDN = (0.5\% )* (P1 + P2) / (P1m + P2m)$$

En donde:

P1m = 38 y  P2m = 40

Y P1m + P2m =78

Finalmente, *Cuarto paso:*

$$PEDDN= 0.5\%*(P1+P2)/78$$

## ¿Cómo calcular el peso específico de la oportunidad, PEON?

*Primer Paso:*

El peso específico de la oportunidad de negocios es el PEON.

Primero para calcular el valor del PEON, debemos de cuestionar paso por paso las siguientes preguntas del "checklist" de la metodología, en la página 64.

1. ¿Existe una oportunidad real con el cliente?
2. ¿Cómo nos enteramos de la oportunidad?
3. ¿Podemos participar /competir?
4. ¿Podemos ganar?
5. ¿Vale la pena?

Proponemos el siguiente razonamiento analítico, después de haber respondido a cada una de las preguntas del "checklist":

Primero asignamos un peso específico para valorar si llevamos a cabo la oportunidad de negocios en cuestión.

Cada pregunta tiene un peso específico, S1, S2, S3, S4, S5 y los valores de estos pesos específicos, dependen de las respuestas del "checklist", como se muestra a continuación:
En donde,

S1: Peso específico de la pregunta 1
S1m: Máximo peso específico de la pregunta 1
S2: Peso específico de la pregunta 2
S2m: Máximo peso específico de la pregunta 2
S3: Peso específico de la pregunta 3
S3m: Máximo peso específico de la pregunta 3
S4: Peso específico de la pregunta 4
S4m: Máximo peso específico de la pregunta 4
S5: Peso específico de la pregunta 5
S5m: Máximo peso específico de la pregunta 5

1. ¿Existe una oportunidad real con el cliente?
   Si realmente existe oportunidad, S1m= 5%
   No estamos seguros, necesitamos mas información,
   S1= 3%
   No existe una oportunidad real, S1 = 0

2. ¿Cómo supimos de la oportunidad?
   Nos enteramos de la oportunidad de una manera formal,
   S2m=3%
   Nos enteramos de una manera informal, S2 = 1%

3. ¿Podemos participar / competir?
   Si podemos participar / competir. S3m= 20%
   Si podemos participar / competir con alianza estratégica,
   S3= 5%
   No podemos participar/ competir, S3 = 0

4. ¿Podemos ganar?
   Si podemos ganar, S4m = 32%
   Quizás, S4= 10%
   No podemos ganar, S4= 0

5. ¿Vale la pena?
   Si vale la pena, es estratégico a largo plazo, S5m = 40%
   Si vale la pena, es táctico a corto plazo, S5m= 40%
   No vale la pena, ni a corto ni a largo plazo, S5= 0

Ejemplificando lo anterior pensemos en el siguiente caso:

Si analizamos una oportunidad y nos damos cuenta que si existe oportunidad, (S1m=5%), y nos enteramos de una manera formal (S2m=3%), la suma de las ponderaciones nos da un 8%, si descubrimos que si podemos participar / competir, le agregamos un 20%, (S3m=20%), a la ponderación de la oportunidad y nos da un 28%. Es decir, hasta este punto, no es suficiente la información para seguir un prospecto con el mayor empeño, no sabemos si podemos ganar. Si por el contrario podemos ganar, le agregamos 32% de ponderación, (S4m=32%) y tendremos como suma total de pesos específicos un 60%. Para llegar al 100% del peso específico de la oportunidad, debemos de cuestionar si vale la pena la oportunidad, antes de continuar, sino quizás ahí le paremos.

Si por otro lado, nos damos cuenta de que no existe oportunidad, S1=0 y no seguimos más. O bien, si no podemos participar / competir, o si no podemos ganar, o si no vale la pena, los pesos específicos tendrán valor cero y ahí nos detenemos, de esta manera al prospectar para nuevos clientes o nuevos proyectos se volverá mas eficiente.

*Segundo Paso:*

Si cualquier peso específico, con excepción de S2, es igual a cero, S1,S3,S4 o S5 , el Peso específico de la oportunidad es igual a cero, PON= 0

*Tercer Paso:*

Si los pesos específicos: S1,S3,S4 y S5 no son igual a cero, aún cuando S2 sea igual a cero, podemos calcular el PON con la siguiente equación:

$$PON = 0.5\% * (S1+S2+S3+S4+S5)/(S1m+S2m+S3m+S4m+S5m)$$

Si ST= S1+S2+S3+S4+S5, suma total de los pesos específicos de las preguntas del checklist

Y STM=S1m+S2m+S3m+S4m+S5m, suma total de los pesos máximos de las preguntas del checklist

Entonces,

Podemos calcular al peso específico de la oportunidad de negocios a través de la siguiente formula:

*Cuarto Paso:*

ST= 0.5%*(ST/SMT)

Y el índice de éxito de la oportunidad de negocios es calculado por:

*Quinto paso:*

El índice de éxito de la oportunidad de negocios , IEO lo podemos calcular de la siguiente manera:

IEO= (P1+P2)*SMT/(78*ST)

Si analizamos la siguiente gráfica, A.2 del índice de éxito de la oportunidad IEO:

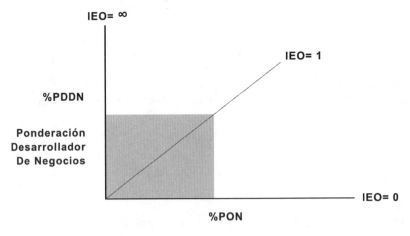

Ponderación de la oportunidad de negocios

Figura A.2 La pendiente de esta gráfica representa el Índice de la oportunidad del negocio

Si el índice de éxito, es mucho mayor a uno, como lo muestra la figura A.2, debemos de reconsiderar la oportunidad de negocios, o podemos buscar otra mejor. Si tiende a infinito, realmente quiere decir que no existe oportunidad.

Si el índice de éxito es igual a uno, es muy probable que cerremos el trato. Si el índice es menor que uno, quiere decir que debemos de capacitar, o bien remplazar a nuestra fuerza de ventas y específicamente al vendedor.

Las ponderaciones de los pesos específicos, en este razonamiento analítico son con base en observaciones empíricas, basadas en la experiencia del autor y de vendedores exitosos de proyectos, productos y servicios así como de intangibles.

El IEO, es solo un indicador con el que tenemos la firme intención de hacer reflexionar al lector que pasos seguir en su negocio específico, para evitar perder el tiempo con clientes fantasmas y enfocar los esfuerzos a los clientes estratégicos y repetitivos.

Los pesos específicos que aquí presentamos, pueden variar dependiendo de la estrategia del posicionamiento de negocios de su empresa, de la importancia de la rentabilidad del negocio, del ingreso de flujos de efectivo, o bien del mercado, si el mercado nos compra sin vender, el IEO es función del mercado.

Este índice, es función de la competencia, por ejemplo en industrias muy competitivas, es muy importante hacer un análisis más detallado y analizar qué estrategias seguir para ganar.

En industrias menos competitivas, la ponderación de los factores o bien los pesos específicos cambian, quizás dentro de las preguntas del checklist, ¿Podemos participar/ competir? tenga menor ponderación y menor peso específico S3.

La pregunta ¿Cómo supimos de la oportunidad? puede tener un menor peso específico, S2 , en proyectos menos competitivos y un mayor en proyectos más competitivos.

## A.2. ¿POR QUÉ LAS PEQUEÑAS EMPRESAS NO PLANEAN SUS ESTRATEGIAS?

"La Planeación Estratégica es un tema que ha experimentado tiempos de apogeo y tiempos de abandono. Así como en algún momento fue considerada la panacea de oro en los negocios (como muchas otras modas o tendencias), en otros momentos ha vivido el olvido y el desprecio corporativo. Ningún extremo es bueno. Es muy importante comprender que la planeación no es una actividad forzada e impuesta, es más bien un proceso natural de supervivencia y desarrollo. Esta realidad es más importante aún para las empresas pequeñas y medianas.

En América Latina, a diferencia de los países llamados desarrollados, el tamaño de las empresas tiene una marcada correlación con su éxito económico y consecuentemente empresarial. Las empresas medianas, pequeñas y micro tienen una probabilidad de supervivencia muy reducida, y es en pocas ocasiones en las que logran realmente progresar. Posiblemente la mayoría de las razones expuestas por los capitanes de estas empresas es "la falta de capital y recursos", " la falta de apoyo de los gobiernos, bancos, etc." Estas razones son muy válidas y hay evidencia de que en general estos factores han sido importantes causantes de la debilidad de este sector de los negocios. Sin embargo, en la mayoría de los casos, no son razones suficientes para justificar el fracaso.

Como en todo ambiente (humano, social, empresarial, natural, etc.) existen factores que pueden controlarse y factores que no pueden controlarse. En un día de campo con la familia, es posible controlar la seguridad del viaje sometiendo el medio de transporte a una oportuna revisión y organizando el surtido de alimento detalladamente en función del número de personas y sus gustos particulares; estos factores, con mucho o poco esfuerzo, pueden controlarse. Una lluvia, o un calor excesivo, o un embotellamiento vial, por otro lado, están totalmente fuera de control; estos factores son imposibles de controlar, y en muchos casos de prever. El ambiente de los negocios no es diferente en los aspectos básicos al del sencillo ejemplo citado; ciertamente, hay factores que son muy difíciles de controlar, por ejemplo, los apoyos de gobierno, o los intereses bancarios. Pero hay otros que son controlables y que han sido ignorados por un gran número de empresarios, a pesar de que hoy en día, a diferencia de hace 30 ó 50 años, es cada vez más difícil no estar informado. La Fig. A.3 describe la naturaleza de las variables controlables como las que están "dentro" de la organización, y las no controlables están afuera de su ámbito de control.

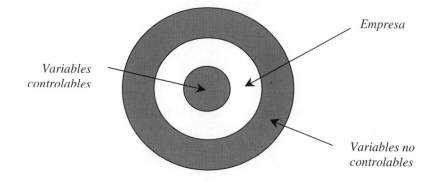

Figura A.3. La empresa y su relación a variables controlables y no controlables del medio ambiente

Uno de estos factores controlables, y posiblemente el principal es la "Planeación". Es curioso, pero hoy en día muchas veces incluimos en nuestra conversación profesional cotidiana palabras de moda como "reingeniería", "ISO-9000", "ISO-14000" y otras más. Esto demuestra que vivimos tiempos en los que tenemos mayor acceso a información. Sin embargo, ignoramos elementos tan importantes y claves como la planeación. La planeación es tan antigua como la humanidad. El hombre primitivo estudiaba a su presa y su comportamiento para emboscarla y atacarla; esto representaba un esfuerzo de planeación. Las guerras, pese a su triste e indeseable legado, han sido suelo fértil para el empleo de la planeación como el arma final de la victoria; ejércitos con menos recursos que los contrincantes han tenido victorias ejemplares gracias a la planeación. Tenemos ejemplos del éxito de la planeación en prácticamente todas partes.

Pero ¿Por qué tanta obstinación con ejemplos y prédicas acerca de la planeación? Sencillamente porque aún es una de las actividades más ignoradas en los negocios pequeños y medianos, y posiblemente una de las causas más importantes para el fracaso temprano de estos negocios. Ahora bien, siendo un factor controlable, ¿Qué es lo que sucede? ¿Por qué los empresarios y directores de estas empresas no le prestan la atención que merece? A continuación analizaremos brevemente tres razones por las que estos hombres de negocios no hacen planeación.

*Tiempo*

Planear requiere tiempo, tiempo que es percibido como artículo de mayor valor si es utilizado en procesos que generen ganancias de un modo más tangible, como las ventas o la producción en sí del bien o servicio. "No tengo tiempo para sentarme por ocho horas y analizar ideas solamente, prefiero salir al campo y vender". Esta es una excusa común. Imagínese un ejército que sin dudar de sus acciones, sin ni siquiera pensar que armas debe portar ni informarse debidamente del enemigo, realice una embestida; salvo una situación de mucha suerte, seguramente caerá en la primera batalla.

Cuadros semejantes suceden a menudo en los negocios. Y en ciertos casos, los empresarios ni siquiera saben por qué están "peleando esa guerra", ¿Es que acaso un poco de tiempo destinado a pensar el motivo por el cual se esta peleando, en primer lugar, y luego, las características básicas del enemigo no habrían sido útiles para al menos para enfrentar al enemigo de un modo más decoroso?. Las respuestas son las mismas que pueden ser aplicadas a un negocio. Una mañana "perdida" planeando puede ahorrar semanas de trabajo, es más, puede salvar al negocio de situaciones desagradables y críticas.

*Miopía estratégica*

De algún modo, como lo menciona el gurú en estrategias Michael E. Porter, todo negocio tiene una estrategia; la diferencia está en que dicha estrategia puede ser explícita (deliberadamente planeada) o implícita (que no ha sido reflexionada, es el sentido común con el que se mueve el negocio). El problema radica en la validez de dicha estrategia para ser la adecuada en llevar al negocio donde quiere estar. Pero ¿Cómo saber donde quiere estar el negocio? Más aún ¿Se sabe a ciencia cierta el negocio en el que se está compitiendo?. La mayoría de las pequeñas y medianas empresas han desarrollado su negocio con base en una experiencia práctica del emprendedor; o bien, con base en una habilidad de un grupo de personas. Sin embargo, muy pocas veces realizan el esfuerzo de analizar cuál es la necesidad que está satisfaciendo dicha habilidad; si existe un mercado, y si ese mercado es suficiente para generar riqueza que justifique las inversiones. Estas preguntas son parte de un análisis de estrategias. Respondiendo estas y otras preguntas, que han sido ampliamente traducidas a herramientas de planeación, se ganan ventajas tremendas, como el de entender claramente la naturaleza del negocio, conocer la competencia y prever el futuro.

Una estrategia planeada ayuda a encontrar el camino adecuado al éxito. El desarrollo de negocios exitoso inicia con un proceso de planeación estratégica inteligente; el no hacerlo, es moverse a ciegas. Es mucho más deprimente saber que varios aspectos de un traspié del negocio pudieron haberse evitado ordenando un poco la información que el emprendedor y su equipo ya tenían.

*Recursos*

Un proceso de planeación requiere recursos, sin embargo estos no deben necesariamente cuantiosos. Una excusa recurrente de los pequeños empresarios es el costo que puede tener esta actividad. La planeación requiere de dos ingredientes fundamentales: metas e información. Las metas, son las intenciones del futuro del negocio que tienen los líderes del mismo. La información es la materia prima con la que se hace un plan; es el conocimiento que se tiene de lo que sucede hoy, y es la capacidad de estimar eficazmente que se puede esperar del futuro.

En la medida en que se tenga más información acerca del presente (competidores, mercados, economía, etc.) más viable será la estrategia a concebirse. En algunos caso, se requiere hacer un estudio de mercado, esto depende de la complejidad del producto y del mercado donde se compite. Esto suele ser costoso, pero no debe ser una restricción para poder obtener información relevante. Salir y conversar casualmente con algunos clientes deja lecciones importantes. Los proveedores son otra fuente de información acerca de debilidades del negocio, ciertas publicaciones y periódicos contienen a veces pautas importantes para la toma de decisiones.

Frecuentemente los muchos o pocos integrantes de la empresa tienen bastante información que se queda "archivada" en sus mentes. La falta de una cultura de planeación hace que experiencias valiosas e información importante se diluya en las actividades diarias. Existen varias herramientas que permiten el "desahogo" de información clave, orientadas a facilitar el proceso de planeación, y que no requieren un gasto exagerado de tiempo y de recursos.

*Planear y profesionalizar la empresa*

En la medida en la que las empresas crecen, existe la tendencia a profesionalizarse, es decir, dejar la administración centralizada de un solo "administrador" que generalmente es también el dueño de la empresa, e incluir gente con preparación en las diferentes actividades de un negocio (finanzas, mercadotecnia, etc.). Cuando esto sucede, también inicia la aplicación técnicas y herramientas de análisis para tomar decisiones intencionadas hacia reducir el riesgo y garantizar el éxito.

Sin embargo, no es aconsejable esperar crecer para que la necesidad sea quien fuerce a buscar herramientas, soluciones, etc. En varios países desarrollados, ser un negocio pequeño no significa ser un negocio pobre, hay suficientes ejemplos de empresas de menos de 30 personas que facturan cantidades del orden de las decenas de millones de dólares en un año. Son empresas pequeñas con una actitud profesional. Desde la planeación de la idea básica del negocio, realizan una detallada redacción de un plan de negocio, que si bien toma tiempo, también evita malas experiencias e inclusive, una caída precipitada del negocio.

Profesionalizar no es incorporar a la empresa una lista de grados académicos, es desarrollar una actitud hacia la forma de hacer las cosas. Por esto, el primer paso es reconocer las debilidades personales y de la empresa e iniciar un cambio. Evidentemente, esto es darse cuenta que no se conocen muchas cosas, pero el no saber que se conoce y que se desconoce es el primer paso para encontrar respuestas. Actualmente existe suficiente información para entender mejor el mundo de los negocios. El secreto es abrir ventanas de tiempo, utilizar algunos recursos inteligentemente, y tener la actitud de entender el negocio claramente."

## A.3. El plan de negocios

Las ventas efectivas al largo plazo, pueden solo llevarse a cabo a través de un organizado y metodológico mecanismo de esfuerzo de ventas.

El mejor mecanismo para implementar un método organizado de ventas es el plan de negocios. Este plan de negocios debe de escribirse a la medida del producto o del servicio que su compañía está vendiendo.

La siguiente es una guía básica de cómo formular un plan de negocios y más adelante encontrará un artículo del SBA (Small Business Association, organización de los Estados Unidos de apoyo a pequeños negocios) acerca del plan de negocios.

Características que debe tener un plan de negocios

1. Resumen del plan (hacer éste al final)
    - Describe el propósito del plan y sus metas
    - Describe su producto y/o servicio, poniendo énfasis en su valor único
    - Describe su mercado potencial
    - Señalar las oportunidades más importantes para su plan de marketing / plan de ventas

- Especificar las habilidades y destrezas de su gerencia y de su equipo de trabajo
- Identificar las proyecciones financieras de los próximos 3 años
- Identificar sus necesidades de financiamiento

2. La Industria
- Describe los parámetros económicos de su industria
- Identifica tendencias de la industria, usando fuentes externas
- Identifica aspectos legales y problemas de regulación posibles y como lidiar con estos

3. La Empresa
- Describe la historia o currículum de la empresa
- Identifica socios y dueños
- Indica dirección física de la empresa y forma de la organización

4. Productos y / o Servicios
- Describe cómo el producto o servicio trabaja
- Se enfoca en beneficios pero no se omite los riesgos
- Explica sus encuestas de mercadotecnia
- Compara su producto con el de la competencia
- Indica que otros productos o servicios seguirán

5. El Mercado
- Describe el tamaño del mercado
- Analiza las debilidades y fortalezas de su competencia
- Identifica cómo penetrar el mercado
- Describe a los socios principales de compra de los clientes potenciales
- Explica como sus clientes toman la decisión al momento de realizar la compra
- Describe segmentos de mercado relacionados
- Menciona sus objetivos de ventas para los próximos 5 años

6. Estrategia de Mercadotecnia
- Vincula las características de sus productos / servicios con las necesidades del mercado

- Especifica cómo vender o distribuir sus productos o servicios a los potenciales compradores
- Menciona las actividades promocionales, incluyendo ejemplos de folletos, anuncios o exhibiciones, congresos
- Menciona sus políticas de precios, comparándolas con los de la competencia
- Documenta sus garantías si se aplica en su negocio
- Describe la investigación de mercado

## 7. Operaciones
- Señala los eventos importantes en tiempo, ¨milestones¨
- Especifica proveedores clave y materiales que se necesitan comprar
- Identifica talentos especiales que se requieren contratar
- Identifica metas de producción y clientes que deben de atenderse
- Especifica qué controles operacionales deben de implementarse, practicas de contabilidad, facturación, flujo de caja, etc.
- Describe un plan de contingencia si sus metas no se cumplen

## 8. Administración y Personal (Recursos Humanos)
- Identifica habilidades que se requieren para llevar el negocio exitosamente
- Identifica a los individuos que tienen esas habilidades
- Especifica acuerdos de compensación
- Identifica participación en sociedad e incentivos al empleado

## 9. Proyecciones Financieras
- Proyecta flujo de efectivo por mes el primer año y hasta que el flujo de efectivo se mantenga positivo
- Proyecta flujo de efectivo anual por los próximos cinco años
- Proyecta anualmente balance de actividades y estado de resultados
- Discute índices clave como el retorno de inversión y el ¨break-even-point¨

10. Necesidades de Capital
  - Especifica la cantidad de fondos requeridos y por cuánto tiempo
  - Especifica, tan apegado como se pueda para qué se utilizarán los fondos
  - Describe las fuentes de capital y un plan de pagos

## Preparación de un plan de negocios de acuerdo al SBA

¿Cuál es el objetivo de un Plan de Negocios?
El Plan de Negocios es un resumen de lo que aspiras hacer en tu negocio y cómo intentas organizarte y organizar los recursos para llegar a cumplir tus objetivos. Es el lugar donde trazas el camino para operar tu negocio y para medir el progreso en función del tiempo.

Las características del plan de negocios son:

1.El plan de negocios identifica la cantidad de financiamiento o la inversión externa requerida y cuándo es necesitada. La primera impresión es la importante. Un plan de negocios bien organizado es esencial para que las fuentes de financiamiento puedan evaluar tu proyecto y tu capacidad de gerente del negocio. Al comprometerse y escribir los planes en papel, la capacidad general de administrar tu negocio se mejorará. Tendrás la habilidad de concentrar tus esfuerzos en las desviaciones del plan antes que las condiciones se vuelvan críticas. También tendrás tiempo de anticipar y prevenir problemas antes de que sucedan.

2.Promueve el realismo.

3. Ayuda a identificar clientes, área de mercado, estrategias de precios, estrategias y condiciones competitivas de operación para poder sobresalir. Este proceso motiva el descubrimiento de ventajas competitivas, nuevas oportunidades así como deficiencias en el plan. Tres o cuatro horas de poner al día el plan por mes ahorrará tiempo y dinero a la larga y hasta salvará tu negocio. Resuelve ahora y haz de la planeación una manera de tu estilo de administración.

Los apartados que debe tener la presentación del plan de negocios son:

*1. Resumen ejecutivo*

El formato deberá comenzar con un resumen ejecutivo describiendo las partes principales del plan de negocios:

- Nombre de la sociedad (incluyendo dirección y teléfono)
- Persona clave (nombre y teléfono)
- Párrafo acerca de la compañía (naturaleza del negocio y área de mercado)
- Tipo de acciones a inversionistas
- Tipo de préstamos buscados (préstamo con colateral, Línea de crédito)
- Principales puntos del negocio (proyecto, ventajas competitivas, tasas de retorno a la inversión)

Esta página de resumen es sumamente importante para retener la atención del lector y continuar con el resto.

*2. Tabla de contenidos*

- Tabla de contenidos estándar
- Títulos de sección y paginas(para fácil referencia)

*3. Concepto del negocio*

El concepto del negocio identifica tu mercado potencial en el área de industria a que pertenezcas y menciona tu plan de acción para el próximo año. Asegúrate de que tus objetivos de negocio sean compatibles con los personales, tu propia habilidad de gerencia y las consideraciones personales. El corazón del concepto del negocio es tu pronostico de ventas mensual para el año por venir. Es tu confidencia en tu estrategia de mercadotecnia y forma las bases del pronostico de flujo de efectivo y estados de ingresos proyectados.

El concepto del negocio contiene una evaluación de los riesgos del negocio y un plan de contingencia. Siendo honesto acerca de los riesgos del negocio y como planear con estrategias de salida es la evidencia de una administración bien sólida.

## 4. Descripción de la industria

Esta sección contiene:
- Proyecciones de la industria y potencial de crecimiento (tendencias de la industria, nuevos productos y desarrollos, mencionar fuentes de información)
- Mercados y clientes (tamaño del mercado total, nuevos requerimientos, tendencia del mercado)
- Compañías competitivas (porción del mercado, fuerzas y debilidades, ganancias)
- Tendencias nacionales y económicas (desplazamiento de población, tendencias de consumo, indicadores económicos relevantes)

## 5. Descripción de la aventura de negocios

Esta sección contiene:
- Producto(s) o servicio(s)(Dibujos, características, calidad)
- Protección del producto/ derechos reservados (patentes, derechos de autor, marcas registradas, derechos franquicias)
- Enfoque de Mercado (típicos clientes identificados por grupos, actuales patrones de compra, ventas promedio, necesidades)
- Ventaja competitiva de tu concepto de negocio (tu nicho de mercado, porcentaje de mercado a alcanzar estimado)
- Localización de Negocio y tamaño (relativo mercado)
- Personal y equipo (requerimientos generales y capacidad)
- Historia breve (quién está involucrado, trabajo preliminar)

## 6. Objetivo del negocio

Esta sección contiene:

- Objetivos específicos, ventas netas, márgenes de ganancia, porcentaje del mercado
- Retornos de inversión a un año, valor neto del negocio, venta del negocio sobre el largo plazo

## 7. Plan de mercadotecnia

Esta sección contiene:
- Estrategia de Ventas (ventas a comisión, objetivos de ventas, clientes, herramientas de venta, soporte de ventas)
- Sistema de distribución (directo al publico, mayoreo, menudeo, múltiples puntos)
- Precios (costeo, márgenes, break-even, ganancia)
- Promoción (medios de publicidad, promociones)
- Garantías (garantía del producto, garantía del servicio)
- Métodos de Rastreo (¿Quienes son los clientes y cómo supieron de tus servicios?)

## 8. Pronóstico de ventas

Esta sección contiene:

- Suposiciones (no siempre se tiene toda la información necesaria, menciona todas las suposiciones hechas para el desarrollo del pronóstico)
- Pronóstico mensual para el año por venir ( Volumen de ventas en unidades y dólares)
- Pronóstico anual para los siguientes 2-4 años por venir (Volumen de ventas en dólares)

El pronóstico de ventas es el punto de partida para su proyección de ingresos y pronóstico de flujo de efectivo en la siguiente parte.

## 9. Plan de Producción (Manufactura)

Esta sección contiene:
- Descripción breve del proceso de producción
- Requerimientos de la planta física (edificio, servicios, capacidad de expansión, layout)
- Maquinaria y equipo (nuevo, usado, capacidad de renta, compra)
- Materia prima (disponibilidad, calidad, fuentes)
- Requerimientos de inventarios (niveles de temporadas, métodos de control)
- Proveedores(descuentos por volumen, fuentes múltiples)
- Requerimientos de personal (tiempo completo, parcial, nivel de habilidad, disponibilidad, requerimiento de entrenamiento)
- Costo de las facilidades, equipo y materiales (estimados y cantidades)
- Estimados de capital (Requeridos para arranque y expansión)

## 10. Plan de Producción (Servicios o comercio)

Esta sección debe contener:

- Planes de compra (descuentos por volumen, múltiples fuentes, calidad, precio)
- Sistema de inventarios (variación de temporada, métodos de control)
- Requerimientos de Espacio (Espacio de oficina y almacenamiento, mejoras requeridas, capacidad de expansión)
- Personal y equipo requerido (personal por nivel de habilidad, equipo de oficinas)

## 11. Estructura Corporativa

Esta sección contiene:

- Forma legal (Dueños, Socios, corporación)
- Distribución compartida (lista de los principales socios)
- Lista de los contratos y acuerdos (contrato de administración, acuerdo de socios, o acuerdo de servicios de franquicias, contrato de servicios)
- Directores y oficiales(nombres, direcciones y roles)
- Currículum de la gente clave de la empresa (dueños y empleados clave)
- Contrato con consultores, profesionistas (asistencia externa en áreas de especialización)
- Organigrama (identificando relación de reporte)
- Responsabilidades y funciones de personal clave (breves descripciones de trabajo - ¿Quién es responsable de que?)

## 12. Riesgo del negocio

Esta sección debe tener:

- Reacción de la competencia ¿Qué harán los competidores, tratarán de sacarlo del mercado?
- Qué pasa si... lista de factores críticos externos(identificar efectos de huelgas, recesión, nuevas tecnologías, clima, nueva competencia, problemas de proveedores, movimientos en la demanda de los consumidores)
- Qué pasa si . . . Lista de factores críticos internos (Baja en ventas por un X%, ventas se duplican, personal clave renuncia, se sindicaliza personal)
- Lidiando con el riesgo (plan de contingencia para manejar el riesgo más significativo)

## 13. Plan Financiero

Esta sección debe contener:

- Pasos para llevar a cabo los objetivos de este año (Gráfica de flujo por mes o por semestre de las acciones específicas tomadas y por quién fueron tomadas)
- Puntos de revisión para medir los resultados (identificar fechas significativas, niveles de ventas y niveles de producción como puntos de decisión)

# A.4. COMPLEMENTOS

**Caso Fossil**

**Objetivo del caso:** Mostrar resultados de la metodología de ventas Chamoun

**Vendedor solar:** Arq. Juan de la Vega
**Antecedentes:**

*Sin metodología:*

Este cliente se ha mostrado reacio en nuestro servicio, aunque son un grupo importante en desarrollo de proyectos. Siempre buscan una solución integral a sus necesidades en cuanto a maquinaria (solicitan con todo y operación) La relación comercial se limitaba sólo a dejar cotizaciones.

*Con la metodología:*

El cliente nos solicita un generador de 600 kva. Hago la propuesta y confirmo la cita. Una vez con el gerente de compras en lugar de sólo confirmarle que ya tengo su información analizo sus necesidades. Lo asesoro en la elección del generador apropiado a sus necesidades, resultando que en realidad requieren uno de 150 kva. Obtuvimos información del proyecto en el cual está por participar (el nuevo desarrollo) además de una segunda empresa a la cual le asignarán otro. La adquisición de la máquina es requisito de concurso y se requiere que cada empresa genere su propia energía.

Detectamos a tomadores de decisiones. Los cuales influyen en el cierre. Hubo empatía y se dió la empatía, así como interés en nuestra presentación. Se quedaron con la impresión de que conocemos el producto, que se les asesoro y no sólo tomamos una orden (aún teniendo la cotización del generador de 600kva nunca la mostré).

Si en la primer visita fue eficaz porque no sólo queda como análisis de oportunidad sino que se presentó una propuesta sobre la base de sus necesidades reales, la cual ya sabemos que es requisito para su obra optimizando recursos y tiempo.

Se le vende la idea que si lo van a rentar por un período mínimo de 10 meses les conviene un plan de renta con promesa de venta.

Además se abrieron a la posibilidad que nos informen a quién sub contrataran para así ofrecer directamente nuestro servicio, o que Fossil conozca nuestras tarifas como base de su presupuesto y ellos a su vez exijan máquinas Solar.

*Concretando y acercándonos al cierre*

Fossil me define en 10 días que decisión tomará. Y es aquí donde empieza la negociación. En la cual con el curso ya identifiqué mis áreas de oportunidad para llevar con éxito esta operación.

*Resumiendo...*

El curso me puso en claro nuestras áreas de oportunidad en las que debemos poner énfasis. Ser más agresivos y abiertos a un cambio positivo.

Tener estructurados mis objetivos y organizar todo el proceso de ventas para optimizar nuestros recursos y hacer sólo visitas eficaces. Lo cual nos llevara a operaciones exitosas. En donde el cliente y Solar ganan , de esta manera, tendremos clientes satisfechos que sientan que somos parte de su negocio. Nuestro objetivo, ser Desarrolladores de Negocios, con lo cual llevaremos a cabo nuestra misión como Solar.

## Caso Sigmund

**Objetivo del caso:** Mostrar resultados de la Metodología de Ventas Chamoun

Éste es un caso exitoso de un vendedor que nos narra la historia del caso antes y después de usar la metodología de ventas Chamoun.

**Vendedor :** René González
**Antecedentes:**

*Sin metodología:*

En 1999 me pasaron un tip de un cliente que andaba buscando un equipo pesado. El cliente no tenía definido cuándo hacer su compra. Fue entonces cuando yo le coticé la máquina, cuando tenía urgencia de vender el equipo y me bajé de precio sin que me lo pidiera el cliente y sin conocer que el cliente sólo andaba sondeando precios para hacer una compra a futuro.

Finalmente insistí, insistí y el cliente no hizo la adquisición. Le perdí el interés al cliente, y este diciembre 2000 surge el interés del cliente, "la voy a comprar", dijo. A esté lo atiende otro vendedor en conjunto conmigo a quien le doy todos los antecedentes.

*Con la metodología:*

Me puse a investigar si la competencia lo estaba visitando. Por lo tanto acudí con una tercera fuente de información, un cliente en común, y cliente de nosotros y le pregunté si lo había venido a visitar mi competencia. La cual está aferrada a quitarnos el cliente prospecto ya que es estratégico.

Así mismo, a este tercero yo le pregunté que si le estaba surtiendo a mi cliente prospecto. Este tercero me comentó que le estaba demandando bastante trabajo (lo cual me dio pauta, para pensar que efectivamente iba a hacer la compra (motivo de compra) necesidad detectada por boca de un tercero.

Finalmente cuando regresa mi prospecto a negociar la compra de la maquinaria surgen dos factores importantes:

1. El producto ya no es el mismo que el del año pasado: el equipo "c" cotizado en 1999 está descontinuado en el 2000. El nuevo equipo es tipo "d"
2. El costo es menor: El equipo d cuesta un 30% menos con respecto al costo del equipo c

El cliente me dice: me cotizaste un equipo c y me diste un precio de $63,000 dólares.

Empieza la negociación:

Se le informa al cliente que ya no existe el equipo c, que está descontinuado.

El patio lo tengo lleno de los equipos d, me urge deshacerme de estos, igual que el año pasado y aún más por la consigna de salir de rentas y entrar a ventas ¡tengo mucho inventario!

Regresando en la negociación con el cliente le digo:

Esta máquina que te estoy ofreciendo tiene las siguientes ventajas sobre la del año anterior:

1) Mayor capacidad
   El equipo c tiene una capacidad de 13 toneladas y el equipo d de 14 toneladas

2) Mayor longitud de pluma

    El equipo c tiene una pluma de 62 pies y el equipo d tiene una pluma de 68 pies

3) Sistema de mantenimiento más sencillo

    El equipo c tiene un sistema de mantenimiento mucho más complicado que el equipo d

4) El equipo d es más máquina y es más precio

    Le digo al cliente: esta máquina te cuesta $65,000 dólares (precio de lista)

Pienso sin comentarle al cliente: para cumplir con los requerimientos de interés de como mínimo debo de aceptar $50,000 dólares, con una buena utilidad, jugosa para la compañía.

El precio original de lista del equipo c es de $63,000 dólares y negocié venderla a este mismo cliente en $60,000 dólares en 1999.

El cliente argumenta que la competencia le ofrece equipo de la misma capacidad en $55,000.

De entrada y con los antecedentes de este cliente le dije: oye si te la está vendiendo en $55,000 dólares porque vienes a comprarme a mí.

Él argumentó en que quiere una "x" (aplicando la metodología de ventas le comencé a hacer preguntas de proceso):

¿Porqué quiere una "x"?, Él respondió: en Chihuahua todos tienen puras "x", las hemos visto trabajando y nos gusta, yo conozco a tus mecánicos (a través del proveedor quién también es cliente tuyo) y sé que tienen un producto bueno, y servicio excelente, tu competencia está en México y ustedes en Monterrey.

Entonces ahí le comentamos:

Argumento

"Esta ya es la segunda vez que hemos tenido esta plática y no quiero que te vayas con las manos vacías. ¿Que necesitas para que cerremos este trato?"

El cliente respondió:

"Que me iguales el precio a $55,000 dólares"

Yo respondí:

"Definitivamente no me puedo poner al nivel de la competencia por que su producto y servicio es inferior, yo no te puedo vender un Mercedes Benz al precio de un VW. Es más barato el VW y los dos hacen lo mismo"

Y le dimos el precio con una pregunta final para cerrar.

"¿Si te diera el precio que te di por la c el año pasado me das el pedido ahora?"

Y el cliente respondió:

"Déjame platicarlo con mis socios"

Yo respondí:

"Te los comunico ahorita mismo ¿Cuál es el número telefónico?, yo te puedo dar el precio de $63,000 si me das el pedido ahora, ya, en este mismo instante."

El cliente le habló a sus socios y nos dio el pedido ¡ok va te la compro! le hicimos la cotización, firmó y al otro día mando ya por el pedido.

**La metodología CHAMOUN® me sirvió para:**

1) Análisis de la oportunidad:

> Saber como sondear al cliente por otro lado (flanquearlo) con su proveedor de servicios.

2) Reglas de negociación (cómo hacer concesiones):

> Lo que hubiera hecho este año sin metodología hubiera sido decirle al cliente que me llegó un d que es más barato (ceder más rápido)

3) Reglas de negociación (como lidiar con objeciones):

> No sabía manejar objeciones como el caso de mi competencia, si hubiera sido antes, me hubiera tratado de igualar a la competencia para ganar el pedido. En este caso deje que el cliente me diera los argumentos de porqué tenia que pagar más

4) Reglas de negociación (concretar)

> No dejé que se me fuera (concreté, no lo solté hasta que me diera la respuesta positiva o negativa)

5) Reglas de la propuesta:

> El año pasado yo le comenté mis debilidades (tengo la urgencia de vender la maquina!) Este año a pesar que tenía la urgencia me hice el occiso, el hecho de haberle comentado que me urgía el año pasado me sirvió de beneficio que si no le dije que me urgía este año, cuando tenía realmente urgencia por tener el patio lleno.

> A los ojos del cliente obtuvo una máquina mejor por menor precio

**¡Ten cuidado el cliente posiblemente esté sondeando precios!**

## CUESTIONARIO DE OBSERVACIÓN DE PROCESO Y METODOLOGÍA DE VENTAS CHAMOUN®

Este cuestionario es una excelente herramienta para obtener las fortalezas y debilidades de su equipo de ventas en al campo de acción. Con esta herramienta usted podrá saber en que área debe incrementar la capacitación y el entrenamiento de sus vendedores con el objetivo de incrementar márgenes de ganancia y ventas.

Se observa al vendedor desde la prospección, propuesta hasta el cierre del negocio.

| | Total Acuerdo | | | | Completo Desacuerdo | | | | |
|---|---|---|---|---|---|---|---|---|---|
| PROSPECCIÓN/ SELECCIÓN | 1 | 2 | 3 | 4 | 5 | 6 | 7 | n/a | +/- |
| 1. ¿Hace preguntas para obtener necesidades del cliente? (<3 = +) | | | | | | | | | |
| 2. ¿Deja hablar al cliente? (<3 = +) | | | | | | | | | |
| 3. ¿Hace que el cliente está enfocado a la presentación de su empresa? (<3 = +) | | | | | | | | | |
| 4. ¿Interrumpe constantemente al cliente? (<3 = -) | | | | | | | | | |
| 5. ¿Está desarrollando *Rapport* efectivamente? (<3 = +) | | | | | | | | | |
| 6. ¿Sigue las reglas de etiqueta de negocios? Sentado derecho Apagado celular y biper (<3 = +) Pone atención al cliente (<3 = +) Toma notas cuando el cliente habla (<3 = +) | | | | | | | | | |

| PROPUESTA | 1 | 2 | 3 | 4 | 5 | 6 | 7 | n/a | +/- |
|---|---|---|---|---|---|---|---|---|---|
| 7. ¿Conoce / detectó a todos los tomadores de decisión? (<3 = +) | | | | | | | | | |
| 8. ¿Sabe cuales son las características de los tomadores de decisión? (<3 = +) Estilo de comunicación (P,R,D,A) (<3 = +) Role (U,E,D,A) (<3 = +) Adaptabilidad al Cambio (I,V,P,C,L) (<3 = +) Cobertura (NC,CB,MC,AD) (<3 = +) Estatus de nuestra empresa(E,NS,N,S,M) (<3 = +) | | | | | | | | | |
| 9. ¿Demuestra que se tiene la solución técnica aceptable? (<3 = +) | | | | | | | | | |
| 10.¿Demuestra que se tiene un valor agregado que ofrecer de su empresa a la necesidad del cliente? (<3 = +) | | | | | | | | | |
| **NEGOCIACIÓN** | 1 | 2 | 3 | 4 | 5 | 6 | 7 | n/a | +/- |
| 11. ¿Intimida el ambiente de las oficinas del cliente? (<3 = -) | | | | | | | | | |
| 12. ¿El cliente intimida al ejecutivo de su empresa? (<3 = -) | | | | | | | | | |
| 13.¿Maneja las objeciones correctamente? (<3 = +) | | | | | | | | | |
| 14.¿Demora la toma de decisiones del cliente? (<3 = -) (i.e. si el cliente hace muchas preguntas, se muestra muy interesado, está a punto de cierre y el ejecutivo de ventas pospone las respuestas para la próxima junta) | | | | | | | | | |
| 15.¿Qué tácticas de negociación está utilizando? Ninguna = - | | | | | | | | | |
| 16. ¿Cede o hace concesiones muy rápidamente? (<3 = -) | | | | | | | | | |
| 17.¿ Cede o hace concesiones grandes? (<3 = -) Solo utiliza una sola concesión pequeña para el cierre | | | | | | | | | |
| 18. ¿Es claro al explicar? (<3 = +) En la presentación (<3 = +) En el cierre (<3 = +) En el manejo de objeciones (<3 = +) | | | | | | | | | |

| | 1 | 2 | 3 | 4 | 5 | 6 | 7 | NA | +/- |
|---|---|---|---|---|---|---|---|---|---|
| 19. ¿ Confirma acuerdos?<br>En el cierre (de la entrevista) **(<3 = +)** | | | | | | | | | |
| 20. ¿Concreta acciones para acercar la venta al cierre? **(<3 = +)** | | | | | | | | | |
| 21. ¿Es creativo en el acercamiento al cliente?<br>En la presentación inicial**(<3 = +)**<br>En la presentación de soluciones**(<3 = +)**<br>En el manejo de objeciones**(<3 = +)**<br>En el cierre**(<3 = +)** | | | | | | | | | |
| **PERSONAL** | 1 | 2 | 3 | 4 | 5 | 6 | 7 | NA | +/- |
| 22. ¿Se pone nervioso? **(<3 = -)** | | | | | | | | | |
| 23. ¿Hace enojar al cliente? **(<3 = -)** | | | | | | | | | |
| 24. ¿No reconoce sus errores? **(<3 = -)** | | | | | | | | | |
| 25. ¿No tiene tacto? **(<3 = -)** | | | | | | | | | |
| **RETROALIMENTACIÓN AL EJECUTIVO de su empresa** | 1 | 2 | 3 | 4 | 5 | 6 | 7 | n/a | +/- |
| 26. ¿El cliente es resistente al cambio? **(<3 = -)**<br>(Computadora en oficina, hablar de Internet y checar reacción, utiliza algún asistente digital personal (PILOT), tipo de vestimenta, revistas que lee etc) | | | | | | | | | |
| 27. ¿El cliente está abierto al cambio? **(<3 = +)** | | | | | | | | | |
| 28. ¿Existe oportunidad de negocios real para su empresa? **(<3 = +)** | | | | | | | | | |
| 29. El cliente está dispuesto a cambiar por:<br>Molesto con Competencia **(<3 = +)**<br>Falta de Equipo**(<3 = +)**<br>No conoce ?<br>Otro | | | | | | | | | |
| 31. ¿El cliente ve el reloj o se distrae cuando el ejecutivo de su empresa presenta? **(<3 = -)** | | | | | | | | | |
| 32. ¿El cliente se ve preocupado , ocupado? **(<3 = -)** | | | | | | | | | |
| 33. ¿Existe *rapport* con el cliente? **(<3 = +)** | | | | | | | | | |
| 34. ¿El cliente es constantemente interrumpido por llamadas telefónicas o secretaria? **(<3 = -)** | | | | | | | | | |
| 35. ¿El cliente tiene los recursos para contratar los servicios de su empresa? **(<3 = +)** | | | | | | | | | |
| 36. ¿El cliente demuestra interés en los servicios de su empresa? **(<3 = +)** | | | | | | | | | |
| 37. Se tienen cubiertos todos los puntos críticos de los tomadores de decisión del cliente? **(<3 = +)** | | | | | | | | | |
| OTRAS | | | | | | | | | |
| 38. No está preparado **(<3 = -)** | | | | | | | | | |

## INSTRUMENTO DE AUTODIAGNÓSTICO REFLEXIVO DE LA METODOLOGÍA DE VENTAS CHAMOUN®

Este instrumento tiene la finalidad de que cada participante de los talleres o lectores hagan una reflexión antes de tomar el curso o de leer el libro para poder encontrar por sí mismos las áreas de oportunidad en los conceptos de Desarrollo de Negocios.

*Instrucciones:*
Llenar antes y después del curso o de leer el libro Desarrollo de Negocios y evaluar las diferencias.

1. ¿Sabe cuál es el objetivo de su negocio o la empresa donde trabaja?
Si_____No_____ No estoy seguro_____

2. ¿Conoce la visión del negocio donde se desarrolla profesionalmente?
Si_____No_____

3. ¿Actualizan o actualiza la misión y visión de la (su) empresa?
Si_____No_____

Si la respuesta es Sí con base en qué elementos actualiza la misión y la visión
_____A Cambios del mercado
_____B Necesidades del cliente
_____C Las dos anteriores
_____D Ninguna de las anteriores (especificar)

4. ¿Sabe desarrollar estrategias de negocios para el crecimiento y consolidación de su empresa o la compañía donde trabaja?
Sí_____No_____

Si la respuesta es Sí, por favor conteste la siguiente pregunta ¿Qué elementos considera para desarrollar la estrategia de negocios?
_____A La visión-misión del negocio
_____B La necesidades del cliente
_____C Las características del mercado

_____D  La competencia
_____E  Todas las anteriores

5. ¿Qué es un plan de negocios?
_____A  Es la instrumentación de la estrategia de negocios
_____B  La táctica para cumplir con los objetivos del negocio
_____C  El eje rector del negocio
_____D  Es la visión global del negocio
_____E  Todas las anteriores
_____F  Ninguna de las anteriores

6. ¿Ha elaborado o participado en la elaboración de un plan de negocios?
       Sí_____No_____

Si contesta Sí ¿En qué proceso del plan de negocios ha participado?
_____A  Operativo
_____B  Financiero
_____C  Ventas

7. ¿Cree usted que el negocio o empresa donde se desarrolla profesionalmente sería más exitoso si participa en la elaboración de los elementos  plan de negocios?
___A  Operativo
___B  Financiero
___C  Ventas
___D  Todos las anteriores

8. ¿Ha participado en la elaboración de una estrategia de ventas para clientes específicos?
       Si_____No_____

9. Si dice que sí, ¿Cuál(es) de los siguientes  elementos considera en la elaboración de la estrategia?
_____A  Necesidades del cliente
_____B  Conocimiento de la competencia
_____C  Conocimiento del mercado de producto y servicios
_____D  Conocimiento de su propia empresa

_____E  Todas las anteriores

10. ¿Cuál de las siguientes herramientas utiliza como parte de la estrategia de ventas de sus productos o servicios?
_____A  Presentaciones orales a clientes
_____B  Propuestas por escrito o Resúmenes ejecutivos
_____C  Todas las anteriores
_____D  Ninguna de las anteriores

11. ¿En qué momento utiliza las herramientas anteriormente señaladas?
_____A  En el primer contacto con el cliente
_____B  Cuando del cliente lo solicita
_____C  Durante todas las fases del proceso de ventas
_____D  En todos los momentos anteriores
_____E  En ninguno de los momentos anteriores

12. ¿Sabe usted lo que son los estilos de comunicación?
_____A  Son patrones de comportamiento observables que pueden ser usados para entender y predecir  las acciones de las personas.
_____B  Son habilidades de comunicación que dependen de la situación en que nos encontramos
_____C  Son habilidades de comunicación que dependen de la personalidad de cada individuo
_____D  Todas las anteriores
_____E  Ninguna de las anteriores

13. ¿Considera que los estilos de comunicación influyen en los negocios?
Sí _____          No_____

14. ¿Ha perdido algún negocio por la forma en que se comunica con su cliente?
Sí_____ No_____

15. ¿Qué es la empatía en los negocios?
_____A  Significa ponerse en los zapatos del cliente y entender sus necesidades

_____B Implica tener una relación cordial con el cliente
_____C Significa brindar atenciones al cliente (invitarlo a comer, a beber, etc.)
_____D Todas las anteriores
_____E Ninguna de las anteriores

16. ¿Qué importancia tiene la empatía para el cierre de negocios?
_____Nula importancia
_____Poca importancia
_____Mucha importancia

17. ¿Cuál es su estilo natural de comunicación?
_____A Considerado, amigable, agradable
_____B Extrovertido, convincente, entusiasta
_____C Serio, metodológico, preciso
_____D Concreto, independiente, autoritario
_____E Ninguno de los anteriores (precisar) _____

18. ¿Cuál de los estilos de comunicación es el más adecuado para desenvolverse en el mundo de los negocios?
_____A Considerado, amigable, agradable
_____B Extrovertido, convincente, entusiasta
_____C Serio, metodológico, preciso
_____D Concreto, independiente, autoritario
_____E Ninguno de los anteriores (precisar) _____
_____F Todos los anteriores

19. ¿Qué es negociación?
_____A Es el arte de conjuntar los intereses del cliente con los nuestros y obtener beneficios para ambos
_____B Es una ciencia que nos ayuda a convencer al cliente para que adquiera nuestros productos y servicios
_____C Es una serie de estrategias y tácticas comunes que el cliente utiliza para llevar a cabo el proceso de compra
_____D Conjunto de causas y condiciones que coinciden para transformar los intereses iniciales para mejorar las posiciones

en tiempo, costo y alcance de las partes
_____E Es un arte y una ciencia. Es un arte por todos los aspectos místicos y es una ciencia por la metodología.
_____F Ninguna de las anteriores
_____G Todas las anteriores

20. ¿Qué es un sistema de ventas?
_____A Una metodología para entender el proceso de ventas y cerrar más negocios
_____B Una estrategia eficiente para captar negocios
_____C Una forma sistemática de conocer dónde se ubica nuestro negocio o prospecto de negocio en un determinado momento y cuál es la visión de compra del cliente
_____D Una metodología que permite identificar quiénes son los tomadores de decisiones dentro de la organización del cliente
_____E Una metodología que permite identificar las necesidades del cliente
_____F Todas las anteriores
_____G Ninguna de las anteriores

21. ¿Ha utilizado algún sistema de ventas dentro de su empresa?
    Sí_____ No_____

·Si la respuesta es Sí, cuál de las siguientes ha utilizado?
_____A ¨Strategic selling¨
_____B ¨Power Selling¨
_____C ¨Spin Selling¨
_____D ¨Capture Planning¨
_____E ¨On target, TAS¨
_____F Metodología de Ventas genérica hecha a la medida de su empresa

    Otras (especificar) _____

22. ¿Ha participado en la elaboración de un plan de negocios?
    Sí____No_____

# Referencias Bibliográficas

Baca, G. Evaluación de proyectos. McGrawHill, 1995.

Brandenburger, A. M. y Nalebuff ,B. J. Co-opetition. Currency Doubleday, 1998.,

Carlzon, J. El momento de la verdad. Ediciones Díaz de Santos, 1991.

Castañeda, A. Sí tu Puedes Vender. Ediciones Monarca, 1998.

Cooper, R. y Sawa, A. Executive EQ. Perigee Business, 1997.

Covey, Stephen. The Seven Habits of Highly Effective People. Covey Leadership Center, 1990.

Dubin, Stan. The Small Business Success Manual. 1999.

Fenterheim, Herbert y Baer, Jean. No diga Sí cuando quiera decir No.

Fisher, R.; Ury, W. y Patton, B. Getting to Yes. Penguin Books, 1991.

Gitomer, J. y Zemke, R. Knock Your Socks Off Selling. AMACOM, 1999.

Glanz, B. A. The Creative Communicator. McGraw-Hill, 1993.

Grant, R. M.. Contemporary Strategy Analysis: Concepts, Techniques, Applications (3rd. ed.) Cambridge, MA: Blackwel,l 1998.

Gray, J. Men are from Mars and Women are from Venus. Harper Collins, 1992.

Heiman, S. E.; Sánchez, D. y Tuleja, T. The New Strategic Selling. Warner Books, 1998.

Johansson, J. K. y Nonaka, I. Relentless: The Japanese way of Marketing. Harper Business, 1996.

Johnson, S. y Wilson, L. The One Minute Sales Person. Avon Non-fiction, 1984.

Kao, J. Jamming, el Arte y la Disciplina de la Creatividad en los Negocios. Grupo Editorial Norma, 1997.

Karrass, Chester. L.. The Negotiating Game. Harper Business, 1992.

Kohns, E.; Harris, Edward y Stone III, James R.. Manual de Ventas al Por Menor

(Merchandising). McGraw-Hill, 1992.

Lambin, Jean-Jacques. Marketing Estratégico. McGraw-Hill, 1995.

Lewison, D.M.. Retailing. Macmillan Publishing Company, 1989.

Liberty, L.. Leadership Wisdom. The liberty Consulting Team, 1994.

López, A.; Parada, A. y Simonetti, F.. Psicología de la Comunicación. Ediciones Universidad Católica de Chile, 1999.

Nelson, B. 1001 formas de motivar a los empleados. Grupo Editorial Norma, 1998.

Pasternack, B. A. y Viscio, A. J. The Centerless Corporation. Fireside, 1998.

Porter, M. E. Competitive Strategy: Techniques for Analyzing Industries and Competitors. Boston, MA: The Free Press, 1980.

Porter M. E. On Competition., Boston MA: Harvard Business School Publishing, 1998.

Rackhan, N. Como Vender Productos de Alta Inversión. Editorial Norma, 1989.

Ries, AL y Trout, Jack. Marketing Warfare. Plume, 1986.

Ries, AL y Trout, Jack. Marketing de Abajo hacia Arriba. McGraw-Hill, 1989.

Rodríguez, Mauro y Serralde, Martha. Asertividad para Negociar. McGraw-Hill, 1991.

Schein, E. H. Process Consultation. Addison-Wesley Publishing Company, 1987.

Spence, G. How to Argue and Win Every Time. St Martin's Griffin, 1996.
Thomas, D. El Sentido de los Negocios. CECSA, 1995.

Ulrich, D.; Zenger, J.; Smallwood, N. y Bennis, W. Results - Based Leadership. HBS Press, 1999.

Ury, W. Getting Past NO. Bantam Books, 1991.

Weil, Roman L.; O'Brien, Patricia C.; Maher, Michael M. y Stickney, Clyde P. Accounting the Language of Business. Thomas Horton and Daughters, 1994.

Yeh, R.; Pearlson, K. y Kozmetsky, G. Zero Time. John Wiley & Sons, 2000.

Ziglar, Z. ZIG ZIGLAR´S Secrets of Closing the Sale. Berkley Books, 1985.

# RECONOCIMIENTOS

«Curso y texto del Seminario Desarrollo de Negocios, llenaron mi expectativa de un formato completo y práctico, presentado de manera compacta, completa y rica con ejemplos; de la integración de un plan de desarrollo de negocios genérico, desde prospectación hasta medición y evaluación de resultados. Lo cual me resulta muy útil para refrescar conceptos recogidos en la academia y experiencia, con un enfoque moderno y actual. Muy recomendable tanto para ejecutivos sazonados, como para jóvenes administradores que buscan cursos concentrados de alto contenido».

Lic. Gustavo S. Ruiz Kuri
Director de País / Country Manager
TECO WESTINGHOUSE MOTOR COMPANY


«El taller me pareció sumamente útil y práctico, lo voy a recomendar para que otros compañeros lo tomen. El taller fue muy útil y nos servirá para plantear en forma consistente nuestras propuestas».

Lic. Luis Herrera Quintero
CENTRO DE INVESTIGACIONES EN MATEMÁTICAS
(CIMAT)


«De un modo ágil y metódico, Habib Chamoun nos presenta una colección de conceptos y herramientas que permiten entender los factores críticos para el éxito en el proceso de negociación. Sobre todo, nos despeja la miope idea de la negociación como un proceso aislado, incorporándolo como un eslabón más en la cadena de valor en la organización y asignándole un peso cardinal en la estrategia empresarial».

José Manuel Aguirre Guillén
Consultor en Planeación Estratégica y Tecnológica

«El seminario de Desarrollo de Negocios es muy interesante y de mucho valor, puesto que independientemente del QUÉ, CUÁNDO, DÓNDE Y POR QUÉ de la actividad, me enseñó mucho del CÓMO hacerlo de manera fácil, sencilla y eficaz. Sobre todo objetiva y ganadora. El gran reto no es que uno lo aprenda y aplique, sino que seamos capaces de hacerlo permeable en la organización como parte de una nueva cultura enfocada hacia la calidad y productividad».

Juan José Treviño
Director General
SERVICIO LIBRE A BORDO, S.A. DE C.V

«El material que presenta Habib Chamoun es práctico y actualizado. El concepto del libro de estar organizado desde como buscar clientes hasta el cierre efectivo nos ayuda a ser más ágiles en la negociación de proyectos. Estos principios los aplicamos para la obtención de fondos de un proyecto de investigación del centro de manufactura electrónica y la metodología ayudó a que agilizaran las cosas, a que se concentrara en los clientes que realmente estaban interesados y a aterrizar su interés en aportaciones para la creación del centro».

Dr. Mario Martínez
Director del Centro de Sistemas Integrados de Manufactura
TECNOLÓGICO DE MONTERREY

Professor Schechter «recommends Dr. Chamoun as an outstanding example of an engineer, businessman and teacher».

Robert S. Schechter, PhD,
Professor of Chemical and Petroleum Engineering
UNIVERSITY OF TEXAS AT AUSTIN, GETTY OIL CHAIR

Professor Sharma believes that Habib is a wonderful person and I am sure he provides his students and clients sound, sincere advice.

Mukul Sharma. Ph.D.
Professor of Petroleum Engineering
UNIVERSITY OF TEXAS AT AUSTIN

«I consider Habib to be the ideal protocol for a young energetic salesman that will not give up until he gets results. Habib makes a point to get to know his clients and their needs and provides the necessary catalyst between the client and the contractor to close the deal. I have been most impressed with Habib's love and passion for sales and his ability to interact with his clients to quickly gain their trust and confidence».

Tom Shary
Vice President
FLUOR DANIEL


«Habib Chamoun has a rare combination of intellectual curiosity and a passion and enthusiasm for his work that generates creative ideas and the drive to implement them effectively».«Dr. Chamoun has leveraged his outstanding educational background, international business experience and systematic approach to achieving results to create a business development/sales methodology that is uniquely suited for the demands of global marketplace».

Jeff Zakaryan
Founder and President
GLOBAL STRATEGIES EXECUTIVE COACHING, INC.


«I consider Habib Chamoun to be a person with high professional ethics who always exhibits very high regard for the people he is working for and working with. He is intelligent and has a good comprehension of the industries and the businesses he is serving. His strong trait is his ability to relate to business clients and quickly understands the troublesome issues that they face in a highly competitive marketplace. He possesses vision of the parameters that influence market direction and is skilled in assisting clients redirect their efforts with positive business results».

Chick Kratzer
President
SPECIAL TALENTS INC.

«En los años de conocer al Dr. Chamoun, su desempeño se ha caracterizado por una intensidad, enfoque y sobre todo trato ético y profesional. La intención de compartir sus conocimientos y contribuir al crecimiento de otros es una disciplina que le viene muy natural»

Andrés Beran<br>
Director<br>
ICA FLUOR DANIEL

«El liderazgo profesional del Dr. Habib Chamoun es demostrado a través del seminario de Desarrollo de Negocios que ha sido impartido a diversas empresas y directivos. La apertura de los mercados, exige una mayor capacidad de solución y análisis de la empresa respecto a sus competidores; el seminario impartido por el Dr. Chamoun ofrece una variedad de ideas y casos prácticos para el hombre de negocios de hoy».

Dr. David W. Eaton<br>
Director<br>
STATE OF MISSOURI LATIN AMERICA TRADE OFFICE

«Durante los ocho años en que he tenido interacción profesional con el Dr. Habib Chamoun, el enfoque metodológico e innovador para desarrollar y adaptar las potencialidades de las organizaciones para dar un valor agregado significativo al cliente, ha sido una cualidad que lo ha hecho destacar por encima de los enfoques tradicionales y conservadores que prevalecen en general. Un seminario como este, que ayude a promover la clase de enfoques que el Dr. Chamoun practica y la competitividad empresarial, es sin duda, alguna una valiosísima aportación en el ámbito de los negocios en México».

Ing. Alfonso González-Paullada Garza<br>
Gerente de Ingeniería<br>
DUPONT MÉXICO

«Encuentro en la experiencia del Dr. Habib N. Chamoun, un gran profesionalismo para trasmitir las técnicas más adecuadas para la Planeación Estratégica y Desarrollo de los Negocios, lo cual me permite reconocer su seriedad y capacidad para definir la visión y rumbo de todas aquellas organizaciones que estén en la búsqueda de competir en un mercado globalizado».

Ing. Lorena Canales Morales
Directora de Educación Continua Empresarial
UNIVERSIDAD DE MONTERREY

«He tenido la oportunidad de conocer el desempeño del Dr Habib Chamoun en asesorías, cursos y seminarios orientados a que los investigadores y tecnólogos, tanto de universidades como de empresas mejoren sus conocimientos y habilidades para proponer, negociar y cerrar sus ofertas de productos y servicios con orientación técnica. Los conceptos, metodología y herramientas desarrolladas por el Dr Chamoun en mi opinión y de la generalidad de los que hemos participado, son muy útiles y eficaces para lograr el propósito de vender un servicio efectivamente y con beneficios tangibles para el usuario. Considero además que sus conocimientos y experiencia  son muy necesarios particularmente en países como México,  tan necesitado de desarrollo tecnológico».

Dr. Eugenio García Gardea
Director de la División de Ingeniería y Arquitectura
TECNOLÓGICO DE MONTERREY

«No hay negocio fácil, tienes que insistir una, otra vez, hasta que la puerta se abre. La labor de venta y desarrollo de negocios no es para aquellos que son genios, sino corresponden a los que tienen perseverancia y constancia en sus objetivos. Es por esto, que la Metodología de Ventas del Dr. Chamoun, aquí presentada por el autor tiene mucho valor, ya que es un camino para hacer negocios consistentemente exitosos».

Rafael Jiménez Ugalde
Socio FGA
BANCA DE INVERSIÓN Y ASESORÍA FINANCIERA CORPORATIVA

«Aunque se concibió como una estrategia en materia de economía y comercio, el proceso de globalización se ha extendido prácticamente a todos los sectores en una forma muy natural; la educación superior y la investigación científica no son la excepción; si se desea que tanto las instituciones académicas como los centros de investigación y desarrollo estén en posibilidades de competir en un entorno continuamente cambiante, deben contar con herramientas ágiles y actualizadas que les permitan obtener lo mejor de sí mismas y adaptarse a los cambios continuos.... Eso es precisamente lo que dio a nuestra institución el curso sobre planeación estratégica impartido por el Dr. Habib Chamoun, quien además de su gran inteligencia, preparación y experiencia, tiene una gran sensibilidad y compromiso con su entorno».

M. en C. Claudia Hernández Merlo.
Asistente Particular de la Dirección General
Centro de Investigación Científica y de Educación Superior
de Ensenada, B.C. CICESE
SISTEMA DE CENTROS DE INVESTIGACIÓN
Y DESARROLLO «SEP-CONACYT»


«El Dr. Chamoun, aparte de su amplio conocimiento y experiencia en el desarrollo de negocios y los importantes procesos de negociación, destaca como un comunicador verdaderamente excepcional. Tiene la habilidad de interesar, relajar y provocar la participación entusiasta del auditorio más exigente y apático, en un tiempo realmente corto. Asimismo, su habilidad para traducir conceptos complicados en términos fácilmente asimilables para personas de diferentes áreas organizacionales, es digno de mención. Cualquier empresa que cuente con la asesoría del Dr. Chamoun debe de sentirse confiada en que sus probabilidades de éxito irán en aumento».

Lic. Roberto F. Cavazos
Director Ejecutivo
AMERICAN CHAMBER OF COMMERCE OF MEXICO
DIVISION MONTERREY

«Considero al Dr. Habib Chamoun como uno de los líderes de Desarrollo de Negocios en México, su exitoso desempeño profesional y su gran destreza al diseñar una metodología práctica y tangible en esta área, con resultados de alto retorno a las corporaciones que han recibido dicho entrenamiento, se potencializan y plasman de una manera profesional de alta tecnología en sus seminarios, que ahora nos hereda a través de su libro DESARROLLO DE NEGOCIOS. Como parte del grupo cada vez más numeroso de mujeres profesionales en México, exhorto a esta comunidad a darle la bienvenida a esta valiosa herramienta de superación profesional».

Mtra. Mercedes Jahn-Beran
Directora General
MH JAHN-BERAN SELFMARKETING BRAINMARKETING, SC

«COPARMEX tiene como objetivo el apoyar la formación de «más y mejores empresas para México». El cumplir esta meta es todo un reto, sobretodo cuando actuamos en un entorno de competencia mundial en el que ya estamos inmersos los empresarios de México. Es por ello que, con la idea de crear líderes globales en el desarrollo de negocios, nos hemos dado a la tarea de buscar opciones de desarrollo para ofrecer a los empresarios afiliados a COPARMEX Nuevo León, encontrando en el Seminario «Profesionalizando su Negocio», que ofrece el Dr. Habib Chamoun, un excelente medio para lograrlo. A través de este programa, el personal clave de la pequeña y mediana empresa ha recibido la asesoría y herramientas para incrementar sus ventas y aumentar sus márgenes de ganancias, aplicando los principios de desarrollo de negocios y con ejercicios prácticos. En resumen, hemos encontrado en este programa, una excelente herramienta para apoyar el desarrollo del empresario y prepararlo para enfrentar el entorno mundial altamente competitivo».

Ing. Fernando Gutiérrez G.
Director del Centro de Capital Intelectual
COPARMEX Nuevo León

«El Curso de Desarrollo de Negocios de Habib Chamoun resulta de una gran importancia para todos los que están involucrados en el sector productivo, no sólo para los empresarios, sino especialmente para los tecnólogos e ingenieros que requieren herramientas prácticas y eficaces para negociar en los complejos terrenos del desarrollo del mercado interno en un ambiente de feroz competencia y globalización. Además está impregnado de ingeniosos casos que lo llevan de la mano a reflexionar sobre la esencia de las relaciones humanas en situaciones críticas de supervivencia..El tema está ilustrado con magníficas y amenas referencias que aportan capacidades inmediatas».

Ing. Fernando L. Echeagaray Moreno
Coordinación de Planeación y Desarrollo de la
FACULTAD DE INGENIERÍA
UNAM

«La educación es el medio que le permite al ser humano aprender formalmente y en forma acelerada; el contar con metodologías que permitan el desarrollo del aprendizaje de técnicas y de conocimientos establece los caminos para alcanzar las metas de vida y de carrera de una persona y de un equipo. El atreverse a compartir las experiencias con el objetivo de compartir a profesionales de los negocios habla de «Ser» una persona que arriesga su imagen y que busca el cambio en el fondo y forma, buscando potenciar las habilidades de los profesionales en los negocios. Enhorabuena por este esfuerzo de crecimiento y de aportación a la educación».

Enrique Fdo. Ayala Ayala
Director de Capacitación y Mejora al Desempeño
AXTEL

## Comentarios a la tercera edición

Favor de enviarnos sus valiosos comentarios con la intención de enriquecer la siguiente edición en la página WEB y correo electrónico. O bien, si desea información acerca de Consultorías, Seminarios, Diplomados o Talleres en Planeación Estratégica, Negociaciones, Desarrollo de Negocios, Ventas Estratégicas, Propuestas o Presentaciones favor de escribir a:

**www.keynegotiations.com.mx**

**glazez@intercable.net**

O escríbanos:

*En México:*

Dr. Habib Chamoun
Apdo Postal 563
Col. Del Valle
Garza García, N.L.
66250

*En Estados Unidos:*

Dr. Habib Chamoun
1209 San Dario Ave 7-479
Laredo, Texas 78040-4505

**Desarrollo de Negocios**
se terminó de imprimir y encuadernar
en Julio de 2002
en los talleres gráficos de la
Editorial Ágata®
Servicios Editoriales de Occidente, S.A de C.V.,
Miguel Blanco 1038,
Guadalajara, Jalisco, México

La edición estuvo al cuidado
Del Ing. José Manuel Aguirre Guillén.

El tiraje fue de 4 000 ejemplares.